Là, jour après jour,
il dessine, il peint. Rituels, vie
quotidienne, chasses au bison, rien
n'échappe à son attention passionnée.
L'artiste se fait reporter, historien,
ethnologue. Et l'œuvre qu'il laisse n'est
pas seulement le témoignage
extraordinairement vivant d'une culture
et d'une époque à jamais révolues.
C'est aussi l'âme indienne, tout entière
restituée dans son éternelle beauté.

Le-Renard-qui-court
The Running Fox, chef sauk

Petit-Loup
Little Wolf, chef yoway

Le-Loup-et-la-Colline
Wolf and the Hill, chef cheyenne

Né en 1942,
Philippe Jacquin
est depuis 1984
assistant en Histoire
moderne à l'Université
de Lyon III.
Auparavant, tout en
assurant
l'enseignement de
l'histoire dans un
établissement
secondaire, il
poursuivait depuis une
quinzaine d'années ses
recherches sur les
Indiens. Aujourd'hui,
il publie sa thèse de
troisième cycle sur
« Les Indiens Blancs »,
c'est-à-dire sur les
rapports entre Français
et Indiens aux XVIIᵉ et
XVIIIᵉ siècles. Il a publié
en 1976 une « Histoire
des Indiens
d'Amérique du Nord »
(Payot) et collabore
régulièrement à la
revue « Histoire » en
tant que spécialiste des
Indiens et de la
colonisation.

*1ᵉʳ dépôt légal: Avril 1987
Dépôt légal: Décembre 1990
Numéro d'édition: 50942
ISBN 2-07-0531-0
Imprimé en Italie*

LA TERRE
DES PEAUX-ROUGES

Philippe Jacquin

DÉCOUVERTES GALLIMARD
HISTOIRE

En 1492, Christophe Colomb, à la recherche d'une nouvelle route pour les Indes, accoste des îles mystérieuses. Il n'y trouve, à sa grande surprise, « aucun monstre comme on aurait pu s'y attendre », mais « des hommes bien bâtis et de belle stature » ! Colomb ignore encore qu'il a découvert un monde nouveau. C'est par méprise qu'il baptise « Indiens » les hommes rouges qu'il vient de rencontrer...

CHAPITRE PREMIER
HOMMES ROUGES ET HOMMES DE FER

Terre de l'espoir des persécutés, le Nouveau Monde entre dans l'histoire européenne au moment où de sanglantes querelles religieuses déchirent la chrétienté. Dès leur débarquement, les colons placent le nouveau continent sous la protection du Seigneur en célébrant des messes « en pleine sauvagerie ».

Dès le début du XVIe siècle, les habitants du Nouveau Monde fascinent l'Europe. On s'interroge passionnément sur leur origine. Mais il faudra attendre notre siècle, et les premières découvertes en paléontologie, pour que commence à s'éclairer le lointain passé des Indiens.

La Bible ne parle pas des Indiens. Sont-ils les survivants d'une des sept tribus d'Israël ? Descendent-ils des Egyptiens ? Un jésuite espagnol, José de Acosta, est le premier à songer à leur origine asiatique. A la fin du XIXe siècle, les fouilles révèlent la richesse des cultures paléo-indiennes et attestent avec l'étude des squelettes que les Indiens sont bien de race jaune.

Pierres taillées, pointes de flèches et grattoirs évoquent la dextérité des premiers habitants de l'Amérique. Ce harpon d'os servait probablement aux Indiens de la côte Nord-Ouest pour la chasse à la baleine et ces pierres-oiseaux étaient utilisées comme poids.

On sait aujourd'hui qu'ils venaient du nord de l'Asie, et qu'ils s'installèrent en Amérique du Nord voici quelque trente mille ans

A la fin du siècle dernier, des archéologues américains s'appliquent à déchiffrer les précieux secrets que renferme la terre américaine. Trente millénaires plus tard, le moindre objet parle : pointes de flèche, harpons, masques, statuettes. Mais les chercheurs n'en sont encore qu'à tenter d'interpréter ces vestiges, et bien des pans d'ombre subsistent sur ce que fut la vie des Indiens en Amérique du Nord avant l'arrivée des Blancs.

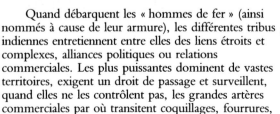

Quand débarquent les « hommes de fer » (ainsi nommés à cause de leur armure), les différentes tribus indiennes entretiennent entre elles des liens étroits et complexes, alliances politiques ou relations commerciales. Les plus puissantes dominent de vastes territoires, exigent un droit de passage et surveillent, quand elles ne les contrôlent pas, les grandes artères commerciales par où transitent coquillages, fourrures, cuivre ou maïs. L'intervention d'étrangers, qui apportent avec eux tout un arsenal de techniques nouvelles, va profondément bouleverser les rapports établis.

Vers l'an mille, les Vikings font une brève incursion, puis le Vieux Continent oublie l'Amérique pendant cinq siècles

Les Vikings sont les premiers Européens à débarquer en Amérique du Nord. Venus du Groenland au Xᵉ siècle, les hommes de Leifr Eriksson occupent une région au nord-est de Terre-Neuve, qu'ils baptisent le Vinland. Les relations avec les Indiens (les *Skraelings* dont parlent les sagas) dégénèrent vite et la violence s'installe. En témoignent les nombreuses pointes de flèche en os qu'a livrées le site où demeuraient les Vikings.

La présence nordique dure peu et, pendant cinq siècles, l'Europe se désintéresse de l'Amérique. L'appât de l'or, le goût de l'aventure poussent les grands voiliers vers l'ouest. Ainsi, les Indiens de la côte est aperçoivent-ils régulièrement, longeant leurs terres, les puissants navires armés à Bristol, Saint-Malo ou Cadix.

L'aube du XVIᵉ siècle est le temps des marins explorateurs. Jean Cabot, Juan Fernandez, Giovanni da Verrazano, Jacques Cartier sondent les rivages, fouillent les baies, remontent les fleuves. Défendu par d'impénétrables forêts, le pays leur apparaît désert. Mais si le continent semble avare de richesses, l'océan en revanche grouille de poissons, surtout au large de Terre-Neuve. Pour l'Europe chrétienne, astreinte à de nombreux jours maigres, c'est un eldorado qui s'offre, attirant des milliers de bateaux de pêche dans l'Atlantique Nord.

Chaque année, Normands, Portugais et Anglais viennent pêcher la morue sur les grands bancs, tandis que les Basques

Comment les Indiens perçoivent-ils les nouveaux venus ? Les bribes de tradition orale qui nous sont parvenues à travers les écrits des Européens dénotent la curiosité et la crainte. Hommes de fer, hommes de tissu, les « barbus » sont des « êtres merveilleux » qui portent le bâton à feu (fusil). On admire leur blancheur, on les frotte, on écoute la nouvelle langue. Mais leur rapacité et leur brutalité suscitent l'inquiétude. Les Indiens s'interrogent sur leurs motivations profondes. Pourquoi viennent-ils dans un pays où ils souffrent du froid et de la faim si le leur abonde de richesses ?

Cette peinture de Théodore Gudin, *Jacques Cartier découvre le Saint-Laurent,* vibre de toute l'épopée de la colonisation. Le souffle du romantisme qui emporta le siècle dernier fait peu de cas de la réalité historique qui existait deux siècles plus tôt. L'empressement des Indiens, leurs gestes d'accueil, leurs signes, représentés ici, rappellent aux contemporains du peintre que la France du XIXᵉ siècle est en pleine expansion coloniale. Dans son passé abondent les exemples glorieux et l'on redécouvre Cartier, Champlain, Montcalm. Devant la montée de la puissance des Etats-Unis en ce XIXᵉ siècle, la France se souvient qu'elle a contribué à l'édification du Nouveau Monde et l'a imprégné de son « génie ».

chassent la baleine. Dès le milieu du XVIᵉ siècle, des abris jalonnent les plages de Terre-Neuve, où les Européens font sécher le poisson et où ils extraient l'huile de baleine.

Contre des alênes, des couteaux ou des tissus usagés, les Indiens béothuks échangent des peaux de loutre ou de castor, goûtent au pain et à l'eau-de-vie. Mais bientôt, les marins les traitent comme leurs domestiques, les brutalisent, abusent de leurs femmes. Alors, les Indiens s'enfoncent dans la forêt pour fuir la présence des Blancs.

Sur le continent, Micmacs et Malécites négocient leurs fourrures avec les Français : dès qu'ils aperçoivent au loin les bateaux, ils mettent à l'eau leurs canoës, et s'approchent en brandissant des peaux au bout d'une longue perche. Ces peaux, notamment celle du castor, sont revendues à des pelletiers dans les ports. Le castor, en effet, est à l'époque fort prisé en France : il entre dans la composition du feutre, dont on fait les larges chapeaux alors à la mode. La demande ira croissant aux XVIIᵉ et XVIIIᵉ siècles, et l'Amérique du Nord deviendra le grenier à fourrure de l'Europe... A charge pour les Indiens de le remplir.

Les Blancs répandent d'effroyables épidémies de variole... et sont sauvés du scorbut par les remèdes indiens

En 1539, les Indiens de Floride voient débarquer les Espagnols. Hernando de Soto erre pendant trois ans dans le Sud-Est, avec une centaine d'hommes. Séjour de sinistre mémoire : s'ajoute aux affrontements la variole, maladie apportée par les Espagnols contre laquelle les Indiens ne sont pas immunisés.

Ses capacités de nageur et sa queue écailleuse ont fait prendre un temps le castor pour un poisson : l'Eglise catholique l'admettait comme aliment de carême.

L'estuaire du Saint-Laurent, vraisemblablement au XVIIᵉ siècle. La cartographie, si naïve soit-elle, joue un grand rôle. Elle fait office de propagande auprès des investisseurs potentiels, la Couronne et la bourgeoisie des grands ports. Elle offre une mine de renseignements sur la nature, les ressources et les mœurs des habitants représentés dans leurs activités habituelles.

D'ailleurs, même sur la côte nord-est où les contacts sont plus sporadiques, les épidémies font très tôt de terribles ravages, poussant les populations à abandonner leurs territoires. Ainsi, lors de son séjour à Hochelaga, un village au bord du Saint-Laurent, Jacques Cartier, en 1534, contamine les Iroquois. Si les thérapeutiques indiennes sont inefficaces contre le « mal des Blancs », en revanche l'infusion de cèdre blanc absorbée, sur les conseils des Indiens, par les marins atteints du scorbut, sauve ceux-ci d'une mort certaine.

Cartier cartographie le golfe du Saint-Laurent et ouvre la voie à l'implantation française, qui demeure cependant bien timide dans la seconde moitié du XVIᵉ siècle. Seuls quelques postes à fourrure apparaissent ici et là en Acadie. Quant à la tentative de colonisation protestante en Floride, elle échoue face à la résistance indienne.

Jacques Cartier est considéré par les habitants de Hochelaga comme doué de pouvoirs magiques. Ils lui présentent leur chef malade afin qu'il lui donne « guérison et santé ». Le capitaine n'ose s'y soustraire et masse les membres du vieillard qui le coiffe ensuite de sa couronne.

Ce n'est qu'au début du XVIIᵉ siècle que se dessine véritablement l'offensive européenne, avec la colonisation française

En 1608, le Saintongeais Samuel de Champlain installe sur le site de Québec quelques pionniers et des récollets (religieux franciscains réformés). Premiers missionnaires en terre américaine, ils se consacrent à l'évangélisation des Algonquins, qui fréquentent le comptoir. Champlain passe l'hiver 1615-1616 en Huronie, où il noue d'excellentes relations avec les habitants (les Hurons), faisant même visiter la France à quelques volontaires.

Plus au sud, autour de la baie de Chesapeake, débarquent en 1607 cent quarante-quatre Anglais, conduits par le capitaine Smith. Ils vont fonder la première ville anglaise en terre américaine, Jamestown.

En 1609, Henry Hudson remonte la rivière qui porte aujourd'hui son nom, et incite les Hollandais à occuper l'île de Manhattan à l'embouchure du fleuve. C'est également sous son impulsion que sera édifié le fort Albany, destiné au commerce des fourrures.

L'émigration hollandaise et anglaise se développe dans les années 1620. Les « puritains » anglais du *Mayflower* installent le premier établissement en Nouvelle-Angleterre, tandis que les bateaux hollandais amènent à la Nouvelle-Amsterdam des centaines de pauvres gens avides de terre et de fortune rapide.

A l'intérieur des fortifications de la ville ronde d'Hochelaga, qui impressionnent Cartier, se trouvent « cinquante maisons longues de cinquante pas, toutes faites de bois, couvertes et garnies de grandes écorces ».

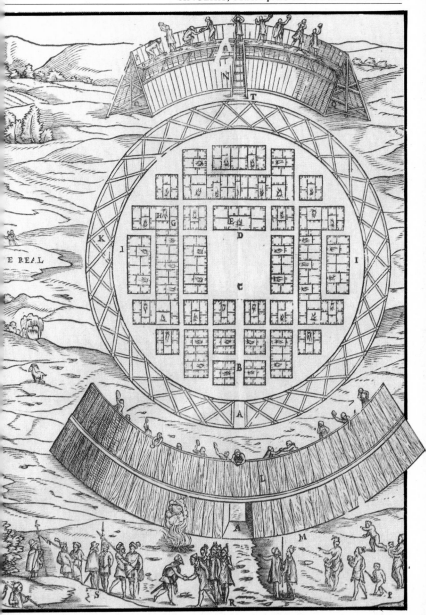

.22.

Transport des récoltes dans les greniers publics

En 1562 des protestants français, conduits par Ribault et de Laudonnière, fondent un établissement dans le nord de la Floride. Deux ans plus tard, Le Moyne débarque avec pour tâche de cartographier les lieux et de collecter des informations sur les indigènes. Ses dessins retracent les aspects de la vie quotidienne. Rentré en France, il publie le commentaire de ses observations en 1591, accompagné de dessins et de gravures coloriées de l'artisan flamand Théodore de Bry. C'est là l'un des rares documents ethnographiques d'époque.

Pages précédentes
Deux villages indiens : Pormcick (à gauche) et Sécota (à droite)

La gravure de Le Moyne s'applique à restituer l'agencement régulier des « longues » maisons » de Sécota, peuplée d'agriculteurs. Plusieurs familles se partagent une maison. Le foyer est le centre de la vie collective. Derrière son aspect plaisant, Pormcick est un village fortifié entouré d'une palissade avec une porte fermée pour éviter les attaques surprise.

·J 4·

De Bry représente une société d'abondance : les indigènes font rôtir d'imposants poissons, les scènes de chasse dénotent un gibier prolifique… La solidarité entre les indigènes ébahit de Bry et Le Moyne. Celui-ci conclut : « Il serait souhaitable que les cœurs et les esprits des chrétiens fussent la proie d'aussi peu de cupidité. »

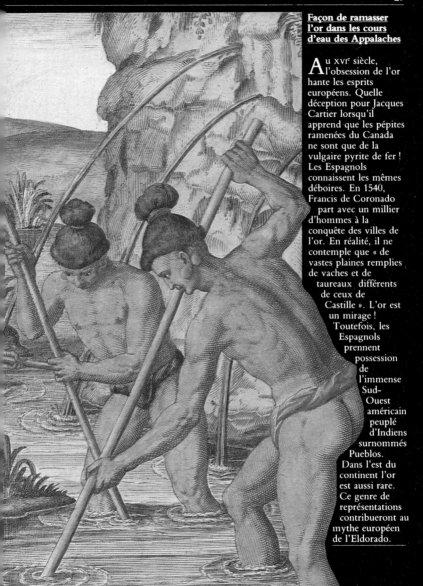

Façon de ramasser l'or dans les cours d'eau des Appalaches

Au XVIᵉ siècle, l'obsession de l'or hante les esprits européens. Quelle déception pour Jacques Cartier lorsqu'il apprend que les pépites ramenées du Canada ne sont que de la vulgaire pyrite de fer ! Les Espagnols connaissent les mêmes déboires. En 1540, Francis de Coronado part avec un millier d'hommes à la conquête des villes de l'or. En réalité, il ne contemple que « de vastes plaines remplies de vaches et de taureaux différents de ceux de Castille ». L'or est un mirage ! Toutefois, les Espagnols prennent possession de l'immense Sud-Ouest américain peuplé d'Indiens surnommés Pueblos. Dans l'est du continent l'or est aussi rare. Ce genre de représentations contribueront au mythe européen de l'Eldorado.

Totalement démunis face à leur nouvel environnement, les nouveaux venus sont obligés d'avoir recours aux ressources indiennes pour échapper à la famine

A la différence des commerçants de la fourrure, ces nouveaux venus souhaitent s'installer à demeure et se rendre propriétaires des terres. Convaincus d'être un peuple élu auquel Dieu a confié la mission de mettre en valeur ce pays, les puritains ne s'embarrassent guère

Les puritains appartenaient à une minorité religieuse rigoriste de la secte presbytérienne. Persécutés par les Stuarts pendant tout le XVIIᵉ siècle, ils embarquèrent en masse pour l'Amérique.

de scrupules à l'égard des populations voisines. Pour eux, les Indiens ne sont jamais que des « sauvages cruels, barbares, et même des fils de Satan » ! Un mépris qui tournera vite à la franche hostilité.

Les Indiens, eux, accueillent les étrangers avec une amicale curiosité. Curiosité à laquelle se mêlent crainte et respect pour des êtres qui leur paraissent doués de pouvoirs surnaturels. Mais la conduite de ceux qu'ils regardaient au début comme des esprits leur devient vite incompréhensible : à la générosité indienne, les Blancs répondent par la rapacité ; ils brutalisent les enfants, n'admettent pas que l'on pénètre chez eux à l'improviste ou que l'on

En 1620, deux cents puritains débarquent au Cap Cod, en plein territoire des Indiens pawtuxets, « des sauvages cruels, barbares et pleins de fourberie ». Les colons s'installent dans une région au climat rude, le scorbut les décime dès les premières semaines. La famine les guette lorsqu'un providentiel Indien apparaît : « Squanto fut leur interprète et l'instrument envoyé par Dieu pour leur bien. Il leur apprit comment semer le maïs, où pêcher et ramasser des aliments ; il les guida partout... »

s'invite à déjeuner. Plus étonnant encore, ils « mangent du bois » (le pain) et « boivent du sang » (le vin).

Et puis, malgré toute leur puissance, ces étranges étrangers semblent bien vulnérables : ils n'osent s'aventurer très loin sans guide, supportent mal le rude climat et les moustiques, sont maladroits à la chasse. Toutes faiblesses qui ne les empêchent pas d'exiger des Indiens qu'ils leur obéissent, qu'ils fassent la guerre contre d'autres étrangers, ou qu'ils se prosternent dans la maison de leur Dieu.

Capturé et emmené en Angleterre en 1614, Squanto y passa cinq ans avant de regagner le Massachusetts. Il ne garda aucune rancune contre ses anciens maîtres et la colonie de Plymouth échappa au désastre grâce à lui.

Jamestown, New Plymouth, la Nouvelle-Amsterdam, Québec... Les Européens sont, dès le premier quart du XVIIᵉ siècle, solidement implantés en Amérique. Mais le fanatisme religieux des uns, la cupidité des autres, vont faire basculer le continent dans la haine et la guerre. Sûrs de leur bon droit, les nouveaux arrivants ne reculent devant rien pour réduire à merci les « sauvages ». Des sauvages sans lesquels ils auraient péri de froid et de faim.

CHAPITRE II
PAR LE FEU ET LA POUDRE

« Nous sommes au milieu des plus grandes forêts du monde, selon toutes les apparences elles sont aussi anciennes que le monde lui-même ; rien n'est plus magnifique, les arbres se perdent dans les nues. »
Charlevoix,
Description de la Nouvelle-France, 1744

How they tooke him prisoner in the Oaze 1607.

Au début, les Indiens multiplient les gestes de bonne volonté à l'égard des immigrants. Ainsi, en Virginie, autour de Jamestown, Wahunsonacock, qui dirige la confédération powhatan, offre, en 1608, sa fille Pacahontas en mariage à John Smith. Le dirigeant indien signifie par là qu'il souhaite établir une cohabitation pacifique entre les deux communautés, dans un rapport de respect mutuel et d'égalité. Mais son message n'est guère entendu : les Indiens ne se sentent pas sujets du roi d'Angleterre et refusent d'obtempérer aux ordres du gouverneur Smith.

John Smith, le premier gouverneur de la colonie anglaise de Jamestown, publie en 1616 une histoire générale de la Virginie où il donne sa version des faits dans son conflit avec la confédération powhatan.

Au début, pour les colons, la situation est délicate : ils ne sont qu'une poignée, perdue au milieu de trente mille Indiens

Pourtant, les colons ont besoin du gibier et du maïs des Indiens. Et ils n'hésitent pas, pour se procurer ces denrées, à piller et à attaquer des villages.

En 1610, après le meurtre de deux colons, la situation devient explosive : les Anglais, en représailles, brûlent deux villages indiens, massacrant femmes et

enfants. Exactions, vexations, déprédations, les Indiens exaspérés finissent par réagir violemment. En mars 1622, les Powhatans se mobilisent, passent à l'offensive et tuent trois cent cinquante Anglais. La réponse ne se fait pas attendre : c'est désormais la guerre ouverte. Les Blancs, qui sont maintenant des milliers, bien armés, sont

POWHATAN
Held this state & fashion when Capt. Smith was delivered to him prisoner 1607

C. Smith bindeth a salvage to his arme fighteth with the King of Pamaunkee and all his company, and slew 3 of them.

déterminés à « mettre à la raison les sauvages ». Dès lors, tous les coups sont permis pour abattre les Indiens : on attaque des parlementaires ; lors de négociations, on fait circuler de l'alcool empoisonné ; on extermine les femmes et les enfants.

En 1646, exsangue, la confédération signe un traité par lequel elle abandonne une partie de son territoire. Les Indiens survivants sont autorisés à se regrouper dans des réserves, en marge de la colonie, où ils seront étroitement contrôlés.

En Nouvelle-Angleterre comme en Virginie, la colonisation se fait dans un bain de sang

Deux puissantes tribus de la famille des Algonquins se partagent le territoire où débarquent les puritains : les Narragansetts et les Wampanoags. Massasoit, chef des Wampanoags, signe avec les Anglais un traité d'alliance. Mais plutôt qu'un geste de paix, les puritains voient là un signe de Dieu, qui les autorise à étendre leur occupation. Ils cherchent d'abord à éliminer les groupes

Dès les origines, le chef de la confédération wahunsonacock s'oppose aux tentatives anglaises de le réduire à un simple sujet de l'Angleterre. Il refuse les cadeaux et même la couronne en cuivre envoyée par Jacques Ier. Il revendique son entière souveraineté face aux colons. L'habileté du chef se révèle dans la mise en scène qu'il monte en décembre 1608. John Smith est traîné devant lui la corde au cou, il s'attend au supplice, on prépare le bûcher lorsque Pacahontas, âgée de douze ans, demande sa grâce. La jeune fille servira de diplomate auprès des Anglais, tout en fournissant de précieux renseignements sur la colonie à son père.

les plus faibles, comme les Massachusetts, dont ils envahissent le territoire en 1630. Les Massachusetts seront décimés peu après par une terrible épidémie de variole... à la grande joie des puritains.

Au fil des ans, la lutte pour la terre se fait de plus en plus âpre, les meurtres de colons de plus en plus fréquents. A terre, les équipages anglais ne sont plus en sécurité. L'assassinat d'un capitaine, en 1636, déclenche ce qu'on appellera la guerre des Pequots : cette tribu, parce qu'elle refuse de livrer les meurtriers aux Anglais, sera victime d'une répression sans merci. Du Connecticut et du Massachusetts, les puritains mènent de sanglantes expéditions punitives. Ainsi, en mai 1637, plusieurs centaines d'habitants d'un gros village pequot, sur la Mystic River, sont impitoyablement exterminés. « C'était un spectacle terrible de les voir griller ainsi dans le feu, que n'arrivaient pas à éteindre les flots de sang », dira plus tard William Bradford. Les Narragansetts subissent le même sort quelques années plus tard, quand ils refusent de reconnaître la suzeraineté de Charles Ier sur leurs terres. Les colons n'ont plus dès lors pour alliés que les Wampanoags. Mais avec cette tribu aussi, les relations vont se détériorer : les puritains en effet contestent à Wamsutta, fils de Massasoit, le droit de vendre des terres à d'autres colons. Convoqué par les autorités anglaises à Plymouth, Wamsutta meurt de façon mystérieuse.

Metacom, son frère et successeur, refuse de venir s'expliquer dans la capitale. Jaloux de sa souveraineté,

Les guerriers fabriquaient leurs arcs dans le bois souple et résistant du frêne. La flèche portait la marque de son propriétaire, elle se terminait par une arête de poisson ou une pointe d'os. Elle pouvait atteindre une cible placée à plus de cinquante mètres.

The Indians fort

En 1637, le capitaine anglais John Underhill représentait le déroulement du massacre d'un village pequot un an auparavant. Encerclés par les hommes du capitaine John Mason et les Narragansetts, les Pequots sont exterminés, 800 périssent alors et le village est incendié. Ce drame s'imprégna dans la mémoire indienne et, à la fin du XVIIIe siècle, le chef shawnee, Tecumseh, le rappelait pour mobiliser les Indiens contre les Américains : « Où sont les Pequots aujourd'hui ? Où sont les Narragansetts, les Mohawks, les Pakanokets et toutes les tribus autrefois puissantes ? Elles ont disparu devant la rapacité et l'oppression de l'homme blanc, comme la neige devant un soleil d'été. »

se méfiant des Anglais, Metacom prend des contacts avec les autres tribus de Nouvelle-Angleterre. Il réussit à les convaincre du machiavélisme des Blancs, ces « hommes venus d'un monde inconnu, qui abattront nos forêts, détruiront nos chasses, nous éloigneront, nous et nos enfants, des tombes de nos ancêtres, réduiront en esclavage nos femmes et nos enfants ».

En 1675, Metacom se trouve à la tête d'une

centaine de guerriers farouchement déterminés. Celui que les Anglais ont ironiquement surnommé le « roi Philip » va fomenter la plus importante révolte qu'auront à affronter les puritains. Devant le péril, toutes les colonies anglaises s'unissent, elles font même appel aux Mohicans et aux Mohawks, ennemis traditionnels des Algonquins.

Les combats durent plusieurs mois avant que ne tombe le roi Philip, en août 1676. Sans pitié pour ce valeureux combattant, les puritains exhibent sa tête sur un piquet, en plein centre de Plymouth, la tête d'« une grosse bête sale », selon leur expression. La guerre du roi Philip aura coûté la vie à six cents Anglais et à plus de quatre mille Indiens ; les colonies auront dépensé quelque 100 000 livres pour réduire les insurgés.

Pour obtenir les fourrures tant convoitées par l'Europe, les Hollandais fournissent des fusils aux Iroquois, armant ainsi la plus belliqueuse des confédérations

En s'installant sur les bords du Saint-Laurent, les Français ont choisi le camp des Hurons. Ces agriculteurs sédentaires constituent une confédération

Cette caricature du « roi Philip » (à gauche) le présente avec son fusil bien en évidence. Dans la seconde moitié du XVIIᵉ siècle, les Indiens ont en effet, grâce au commerce de la fourrure, acquis des fusils. Cette arme nouvelle a beaucoup modifié leur tactique de combat : le corps à corps a laissé place à l'échange de coups de feu à distance. Dans le combat rapproché, les Indiens redoutent la baïonnette. L'usage généralisé des fusils explique aussi les pertes très importantes des deux camps lors du soulèvement du roi Philip (en bas).

Dans ce campement huron, on remarque l'utilisation d'une chaudière : les Indiens adoptèrent très vite la technologie européenne en fonction de leurs besoins propres. Ils transformaient un morceau de fer en lame de couteau, en alêne ou, en le brisant, en grenaille pour leur fusil. Dans les années 1660-1670, ils apprirent à travailler sur la forge, à façonner des objets et même à réparer des fusils. En 1676, les Anglais découvrirent dans un campement de la rivière Connecticut deux forges indiennes et une réserve de plomb nécessaire à la fabrication des balles.

die Völcker Huron genant. Fig: 11.

HVRONS.

de quatre tribus, dont les villages s'étendent autour de la baie géorgienne et du lac Simcoe. Plus au sud se tiennent la nation du Tabac et la nation Neutre avec lesquelles les Hurons sont en bon voisinage.

Bien qu'appartenant à la même famille et parlant la même langue, les Hurons sont en guerre avec les Iroquois, redoutable confédération de cinq tribus avides de gloire et de pouvoir : les Mohawks, les Oneidas, les Onondagas, les Cayugas et les Senecas. Ces « cinq nations » (ainsi que les désignèrent les Blancs impressionnés par leur puissance) ont quitté les rives du Saint-Laurent au cours du XVIᵉ siècle, probablement chassées par les maladies européennes. Elles sont regroupées au sud du grand fleuve et du lac Ontario.

Les Hurons comprennent vite qu'ils ont tout à gagner d'une alliance avec les Français. D'abord, l'aide et les armes de ces étrangers pourraient se révéler précieuses en cas d'agression iroquoise. Ensuite, sur le plan commercial, les Hurons escomptent de solides profits de leur position d'intermédiaires entre les Algonquins pourvoyeurs de fourrure et les comptoirs français. Effectivement, dès 1625, chaque printemps voit les canoës hurons traverser le lac Nipissing, descendre la rivière Ottawa et le Saint-Laurent. De dix à douze mille peaux viennent alors s'entasser dans les entrepôts de Québec.

Comme les Hurons avec les Français, les Iroquois tiennent une position clé entre Algonquins et Hollandais, position qu'ils entendent bien exploiter. Ils décident donc d'éliminer les rivaux potentiels que sont les Mohicans et d'empêcher les Algonquins de s'aventurer sur leur territoire. S'imposant comme intermédiaires, ils contraignent les Hollandais à transiger avec eux pour obtenir des fourrures. En échange, ceux-ci acceptent de les ravitailler en armes à feu et en munitions. Grâce aux fusils hollandais, les Mohawks deviennent en quelques années la tribu la plus redoutée de l'Est.

Pour faire face à cette menace grandissante, Algonquins et Hurons voudraient obtenir des Français un soutien total... et des armes à feu. Mais les Français hésitent à armer leurs alliés et ne distribuent les fusils que parcimonieusement. Sur les conseils des jésuites,

Le massacre des Hurons par les Iroquois. Le père Joseph-François Lafitau remarquait que « la guerre est pour les Iroquois un exercice nécessaire ».

seuls ont droit aux armes les Hurons convertis. Car, dans les années 1640, la confédération huronne est divisée (et donc affaiblie) entre traditionnels et convertis. Ces derniers sont seuls à profiter des avantages que représente l'alliance française. Ils sont aussi les plus hostiles aux Iroquois, les plus déterminés à la guerre. Les traditionnels, eux, seraient assez enclins à faire la paix avec leurs frères ennemis. Si courageux que soient les guerriers hurons, ce manque d'unité va leur coûter cher face à la cohésion des Iroquois.

La guerre est un « remède à la mort » : les captifs permettaient de remplacer les défunts et d'assurer la continuité du groupe.

La guerre de la fourrure, cette interminable lutte fratricide, se solde par la disparition totale de certaines tribus

Le temps des guerres iroquoises débute vers 1630, quand les Mohawks s'acharnent sur les Algonquins de l'Ottawa. Dix ans plus tard, ces mêmes Mohawks lancent une offensive contre les Français du Saint-Laurent et leurs alliés, les Abenakis. Entre-temps, la confédération iroquoise s'est mobilisée, elle a obtenu des Hollandais, et même des Anglais, les précieuses armes à feu.

Son objectif est clair : briser la puissance huronne en contrôlant tout le marché de la fourrure du Nord-Est, et obliger les Français à commercer avec eux. Sa tactique est simple : créer un climat de terreur pour couper la route de la fourrure. Pour y parvenir, les Iroquois s'embusquent au bord des rivières, détruisent les canoës qui y transitent, massacrent les Indiens, et gardent les Français en otage, en vue de négociations. Les raids s'étendent de l'Atlantique aux

La plupart des Indiens d'Amérique du Nord connaissaient la pratique du scalp. Elle est attestée bien avant l'arrivée des Blancs. Les explorateurs constatent, ici ou là, des « trophées de chevelure » : le guerrier emportait ainsi avec lui la force de son ennemi. Rares étaient ceux qui survivaient à cette mutilation. On a néanmoins recensé une quarantaine de Blancs, au XIXe siècle, portant la terrible cicatrice frontale.

Grand Chef de Guerriers Iroquois

Guerrier Iroquois.

Grands Lacs ; les villages hurons tombent les uns après les autres. Les récoltes sont ravagées, les femmes et les enfants emmenés en captivité, les guerriers torturés à mort. En quelques années, la nation huronne est balayée. Les survivants trouvent refuge au Québec, ou fuient vers l'ouest. Au cours de l'hiver 1649-1650, les Iroquois pénètrent au cœur de l'Ontario, et menacent les Neutres. Puis ils se retournent brutalement contre les Eriés, qui avaient généreusement recueilli des Hurons fugitifs. Les Eriés, il est vrai, ont aussi le tort d'être les maîtres de la vallée de l'Ohio, riche en castors. Malgré leur héroïque résistance, ils seront totalement exterminés en 1650.

La soif de pouvoir des Iroquois, leur volonté de détenir le monopole des fourrures, ne suffisent pas à expliquer la

Des « démons sortis droit de l'enfer » : telle est l'expression d'un missionnaire français, telle est l'impression qu'au combat donnent les guerriers iroquois. Mourir au combat apparaissait à un Iroquois comme le pire des destins. Car, exclu du « village des morts », l'esprit du guerrier était condamné à errer en espérant une vengeance salutaire qui lui ferait retrouver ses ancêtres.

Guerrier de Nootka.

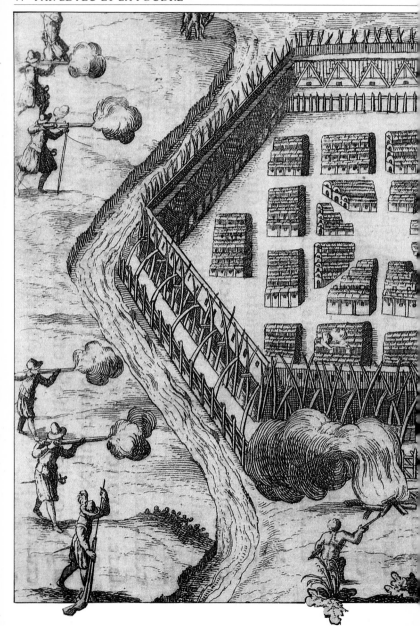

Les Indiens connaissaient l'art des fortifications, ce village iroquois en témoigne. Les palissades protégées de piquets en bois se révélaient parfaitement efficaces devant un adversaire sans arme à feu. La guerre avec les Européens obligea les Indiens à revoir leur système défensif et s'inspirer des pratiques de leur adversaire. Ils abandonnèrent alors la palissade rudimentaire au profit de lourds troncs d'arbres couverts de terre. Dans les années 1609-1610, Champlain, en aidant les Hurons contre les Iroquois, choisit son camp. Une décision qui va engager la politique française pendant plus d'un siècle. En position de faiblesse, les Européens n'auront pas toujours la force de décider de leurs alliances. Pendant une grande partie du XVIIᵉ siècle, les Indiens conservèrent leur pratique rituelle de guerre. Ils cherchaient moins à exterminer leurs adversaires qu'à les intégrer à leur fédération. Vers 1670, le jésuite Le Jeune observait : « Il y a plus d'étrangers que d'Iroquois dans ces villages. »

violence des combats, ni la durée de cette guerre qui sévit pendant cinquante ans. Aux motivations strictement économiques, il faut ajouter des facteurs plus culturels. Ainsi la « vengeance », immuable tradition tribale jetant parents et amis d'une victime dans le conflit, entretient et réactive continuellement les hostilités. Et cela d'autant plus que les jeunes guerriers, avides d'exploits, ne demandent que l'occasion de montrer leur bravoure.

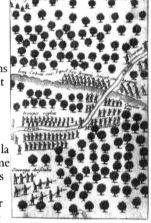

En outre, une incompréhension totale de la coutume indienne est à l'origine de la quatrième guerre iroquoise qui oppose Indiens et Français pendant dix ans, de 1657 à 1667. Tout commence par l'assassinat de trois Français par des Oneidas. En représailles, le gouverneur de Nouvelle-France ordonne de faire prisonniers tous les Iroquois présents sur la colonie, c'est-à-dire une douzaine d'Onondagas et de Mohawks, qui n'ont rien à voir avec ces meurtres. Leurs chefs et leurs familles réclament donc la libération des innocents. Les autorités françaises refusent et, quelques semaines plus tard, la guerre se rallume.

L'offensive iroquoise prend les Français au dépourvu : non seulement la Nouvelle-France est faiblement peuplée, mais elle n'entretient pas d'armée. Au gré de la colonisation, les fermes sont installées ici ou là ; isolées, elles sont à la merci d'une attaque. Quant à Quebec et Montréal, elles ne sont guère fortifiées, et ne sont défendues que par une dizaine d'hommes. Enfin le milieu naturel, vastes forêts et rivières profondes, s'avère un inexpugnable refuge pour un adversaire qui « approche comme un renard, se bat comme un loup et disparaît comme un oiseau ».

La confédération sème la terreur parmi la colonie française. Les Iroquois se livrent volontiers à une véritable guerre psychologique, notamment en organisant des exécutions publiques, dont sont parfois victimes les Français. Les prisonniers subissent les pires tortures… et on se charge de le faire savoir à l'ennemi.

L'imagerie populaire représente des affrontements « à l'européenne ». En réalité, les Indiens se battaient au corps à corps.

Le baron de La Hontant écrivait vers 1690, après avoir passé plusieurs années au Canada : « Ils ne paient ni sel, ni taille, ils chassent et pêchent librement, en un mot ils sont libres. »

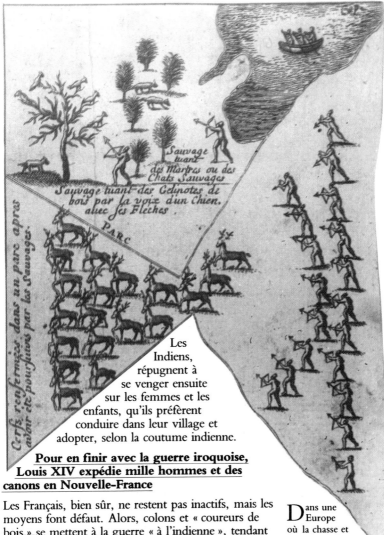

Sauvage tuant des Martres ou des Chats Sauvages

Sauvage tuant des Gelinotes de bois par la voix d'un Chien, auec ses Flèches.

PARC

Cerfs renfermez dans un parc apras auoir esté pourfuiuis par les Sauuages.

Les Indiens, répugnent à se venger ensuite sur les femmes et les enfants, qu'ils préfèrent conduire dans leur village et adopter, selon la coutume indienne.

Pour en finir avec la guerre iroquoise, Louis XIV expédie mille hommes et des canons en Nouvelle-France

Les Français, bien sûr, ne restent pas inactifs, mais les moyens font défaut. Alors, colons et « coureurs de bois » se mettent à la guerre « à l'indienne », tendant des embuscades et se montrant aussi impitoyables avec les prisonniers que leurs adversaires. Mais leur pugnacité est moins efficace qu'une troupe bien armée, et les gouverneurs successifs de Nouvelle-France

Dans une Europe où la chasse et la pêche étaient réservées à la noblesse, la liberté des Indiens dans ces activités surprenait.

adressent des messages de détresse à la couronne.

En 1665, Louis XIV fait envoyer le régiment de Carignan-Salières : un millier d'hommes accompagnés de canons. Dès son arrivée, le régiment marche sur l'Iroquoisie, brûlant villages et récoltes, capturant des femmes et des vieillards. La situation devient bientôt intenable pour les Iroquois, qui doivent par ailleurs se battre sur plusieurs fronts : outre leur guérilla avec les Eriés, ils sont aux prises avec les Susquehannocks, qui bénéficient de l'aide des Anglais du Maryland. Aussi, en 1667, l'ensemble des tribus iroquoises envoie des parlementaires à Québec, et signe un traité de paix avec les Français.

Ayant éliminé leurs principaux rivaux indiens du commerce de la fourrure, les Iroquois se retrouvent donc seuls face aux deux puissances européennes qui espèrent se partager le continent nord-américain : la France et l'Angleterre.

Il a suffi d'un demi-siècle pour faire voler en éclats le monde indien du Nord-Est : des tribus entières ont été exterminées par les épidémies ou par la guerre ; coutumes et croyances ont subi de profondes altérations sous l'influence européenne. Le processus de désagrégation de la société indienne semble déjà irréversible.

A la vue du promontoire rocheux qui s'avance dans le Saint-Laurent, les marins de Jacques Cartier se seraient exclamés : « Quel bec ! ». D'autres affirment que pour baptiser le site, les Français auraient repris le mot indien *kenebec,* « le rétrécissement ». Un gros village iroquois, Stadaconé, surveillait le fleuve. Dans les années 1610-1620, Champlain construira un « méchant petit fort » au dire des contemporains. La « ville haute » restera le siège du gouvernement et de l'évêché. Les activités commerciales prédomineront dans la ville basse. Hurons, Algonquins et Iroquois se mêlaient dans les rues étroites aux marins et aux soldats. Les Indiens se rendaient à Québec pour échanger des fourrures, vendre de l'artisanat, du gibier et « contempler un autre monde ».

Au Canada, les soldats français furent contraints de vivre frugalement, comme les colons. Ils souffrirent de l'extrême difficulté des déplacements.... excepté les officiers qui se faisaient porter par des Indiens lors du passage des rivières ou dans les marais.

A. Cap Brulez
B. chenail
C. isle aux oyes
D. isle aux Dames
E. cap tourment
F. isle au ro
G. 3 fermes
H. Sable
I. Ste Anne
K. isle d'orleans
L. Colle du Sud
M. chateau richer
N. S^te famille
O. chenail ordi
P. habitation
Q. Lehoge gardien
R. S. francois
S. trou s^t patrice
T. Saut memorance
V. pointe d'orleans
Y. pointe de leui
Z. beau port
&. le port
&&. Coste de beau pré *

1 Sillery
2 Cap rouge
3 riuiere S^te charle
4 les hospitaliers
5 La brasserie
6 L'Euesché
7 Les jesuites
8 La basse ville
9 Les Vrsulines
X. le chateau
X1. la haute ville
X11. La grande Allee
13. N. Dame de foy
14 La riuire s^t jean
15 Les Recolets
16 Les isiou
17 terres laboures

12. lieues de long
6. de large au plus

Louest

2. lieues

Le castor fait bien les choses, il fait les chaudrons, les hachettes, les alênes, les couteaux... Cette boutade indienne dit les « bienfaits » qu'apporta, au début, le commerce de la fourrure. Fatals bienfaits, qui signent l'arrêt de mort de la culture indienne. Mais comment les Indiens pourraient-ils soupçonner qu'en acceptant de commercer avec les Européens, ils mettent eux-mêmes en route l'engrenage qui les broiera ?

CHAPITRE III
LE CHOC DES CULTURES

En 1831, un Assiniboin, le chef Wi-jun-jun, fit le voyage jusqu'à Washington pour contempler les merveilles du monde blanc. Il revint chez lui en bottes à talons hauts, marchant « comme un pourceau attelé ». Le peintre Georges Catlin immortalisa les différences de sa tenue lors de son départ et de son retour.

Quand ils pénètrent dans les tribus, les Européens restent confondus du génie avec lequel les Indiens, qu'ils soient chasseurs ou agriculteurs, tirent parti de leur environnement. Chaque peuple produit de quoi satisfaire ses besoins primordiaux, de quoi se nourrir et se protéger, mais aussi de quoi échanger des biens avec les nations voisines, lors des rencontres entre tribus. Le commerce, en effet, s'inscrit dans un contexte de rituels et de cérémonies qui fait passer au second plan les intérêts économiques. Cadeaux, discours et festins éclipsent l'échange lui-même.

Dès le XVIIIe siècle, les marchandises avaient précédé les Européens au cœur de l'Amérique et dans le moindre village on échangeait une lame de fer, une cassserole ou une poignée de perles colorées contre du maïs ou des castors.

Seuls les Hurons, les Iroquois et les Indiens de la côte nord-ouest admettent que le commerce puisse enrichir certains individus, mais à condition que cela n'engendre pas de trop grande différence entre les membres de la communauté, et que fonctionne généreusement le principe de la redistribution.

En imposant leur propre système de commerce, les Européens vont briser ces ancestrales coutumes socio-économiques ; en introduisant de nouvelles marchandises, ils vont modifier radicalement le mode de vie indien.

Parmi les nouveaux produits importés par les Blancs, il en est un qui fascine tout particulièrement les Indiens, c'est le fer

Dès 1608, Champlain constate que les tribus côtières utilisent ce métal, qui tend à remplacer le cuivre des Grands Lacs dans la fabrication des pointes de flèche, des lames de couteau, des aiguilles. Dans l'agriculture comme dans l'artisanat, les outils en fer s'avèrent

plus efficaces que les traditionnels outils de pierre. Mais c'est surtout à la guerre que le fer se révèle le plus redoutable des alliés. Il devient donc une monnaie d'échange fort appréciée lors des transactions, et la plus petite parcelle en est précieusement employée.

La vie domestique aussi subit l'influence européenne, amenant la femme indienne à prendre de nouvelles habitudes. Aiguilles, alênes et grattoirs facilitent la préparation des peaux. Poteries et vanneries sont, peu à peu, remplacées par le chaudron. Aux vêtements de peau, on préfère les couvertures de couleurs vives, les chemises ou les manteaux… même s'ils protègent moins bien du froid. Seul le mocassin résiste à la mode européenne. Quant à la chaussette, si elle est adoptée, c'est comme blague à tabac. Miroirs, grelots, vermillon et perles de verre enchantent les femmes.

Chaque peuple avait son artisanat et un commerce fructueux en résultait.

Au contact des Blancs, l'art lui-même évolue. De nouvelles matières, de nouvelles couleurs apparaissent. De nouveaux motifs aussi : croix et médailles font florès dans l'ornementation. L'homme blanc, reconnaissable à sa barbe, à son chapeau ou à son fusil, est représenté dans des scènes de combat, de signature de traité ou d'échange commercial. Pratiquée sur des peaux de bison, la pictographie, qui pallie parfois la tradition orale ou est utilisée mnémotechniquement, relate l'histoire de la conquête. Les peintures rupestres racontent la fin d'un monde traditionnel et l'arrivée de la « civilisation ».

Le commerce de la fourrure engendre de tragiques luttes tribales

Les Micmacs de la côte est vivaient de la pêche et troquaient quelques peaux de loutre avec leurs voisins. Pour satisfaire à la demande en fourrure, ils se font chasseurs et commerçants, ce qui transforme à la fois leur mode de vie et leur alimentation. Ainsi se retrouvent-ils complètement dépendants des Européens.

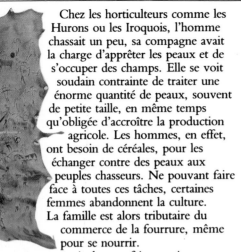

Chez les horticulteurs comme les Hurons ou les Iroquois, l'homme chassait un peu, sa compagne avait la charge d'apprêter les peaux et de s'occuper des champs. Elle se voit soudain contrainte de traiter une énorme quantité de peaux, souvent de petite taille, en même temps qu'obligée d'accroître la production agricole. Les hommes, en effet, ont besoin de céréales, pour les échanger contre des peaux aux peuples chasseurs. Ne pouvant faire face à toutes ces tâches, certaines femmes abandonnent la culture. La famille est alors tributaire du commerce de la fourrure, même pour se nourrir.

Ce commerce va également faire surgir un problème qui ne s'était jusque-là jamais posé, celui du territoire. Certes, chez les agriculteurs existaient bien des territoires familiaux, plus ou moins délimités, mais

Les Indiens ignoraient l'écriture mais pas la pictographie. On dessinait sur la peau du bison ou du daim mais également sur l'écorce du bouleau. Les Ojibwas possédaient les *scrolls,* rouleaux d'écorce où étaient inscrits des chansons, des prières, des récits de guerre ou l'épopée du clan. Ces documents, qui servaient de mémoire à la tribu, étaient précieusement conservés.

Un groupe d'Indiens crowh déplace son campement pour passer l'hiver dans des régions plus tempérées.

la chasse était à peu près libre partout. La chasse au castor change cet état de choses, car pour satisfaire à la demande elle exige la recherche perpétuelle d'autres nids. Les familles commencent alors à se disputer l'espace, de sombres rivalités naissent, qui vont parfois jusqu'au meurtre.

De la même façon, les chasseurs du Nord-Est ou de l'Arctique possédaient une aire commune de chasse, et ignoraient jusqu'au concept de propriété. La plus parfaite égalité régnait au sein de la communauté. En favorisant certains Indiens, qu'ils prennent comme interprètes, les trappeurs blancs contribuent à l'émergence de chefs, à la formation de groupes ; en obligeant ces groupes à revenir toujours au même endroit, le lieu de rendez-vous, ils limitent le nomadisme, ce qui conduit les groupes à constituer des territoires de chasse privés... d'où les autres sont exclus sans ménagement. La lutte se fait d'autant plus rude que les conditions de l'échange se dégradent : le trappeur donne toujours moins et exige toujours plus. Chaque famille, chaque individu n'a plus pour espoir que de devenir le personnage privilégié auquel s'adressera le Blanc. Trahison, meurtre et prostitution constituent désormais la règle.

Eternelle pomme de discorde entre Indiens et Blancs, la question de la propriété du sol se règle par la force

A l'exception de William Penn et de ses quakers (secte religieuse notablement égalitaire), les Blancs ont toujours refusé de reconnaître les Indiens comme possesseurs du sol. Il est vrai que les quakers seront aussi les seuls colons à entretenir avec les Indiens des rapports égalitaires.

Les autres Européens arrivent dans le Nouveau Monde en conquérants avides. La Providence leur offre des terres libres, parcourues par des sauvages qui ignorent l'agriculture. Il leur paraît donc tout naturel de s'en emparer, et d'appliquer le principe qui veut que la terre appartienne à celui qui la travaille. Cet argument échappe complètement aux Indiens, qui ne comprennent guère mieux qu'on prétende acheter des arbres, des rivières, des plages ou des lacs. A vrai dire, les colons ne parlent que très rarement d'acheter :

PENNS
out an
Religiou

Les traités faisaient l'objet de longues négociations. Après accord verbal, le document était rédigé en langue européenne puis traduit par les interprètes. Les Indiens y apposaient la marque de leur clan.

ᴀᴛʏ with the **INDIANS**, made 1681 with
and never broken. The foundation of
Civil Liᴮᴇʀᴛʏ, in the **U. S. of AMERICA**.

après tout, cette terre est à l'abandon, inexploitée ; et
puis, la Bible elle-même le dit : « Dieu les a conduits
ici, et ce pays est le leur » !

Les gouvernements européens engagent une politique de présents… qui est loin d'être désintéressée !

Le comportement des colons embarrasse les autorités
métropolitaines : certes, elles souhaitent une mise en

Lors des traités, les
Iroquois
apportaient des
wampuns, ceintures de
perles dont chaque
dessin possède une
signification. Le
responsable du *wampun*
mémorisait les paroles
du traité pour en
rendre compte au clan.

valeur du pays, mais en même temps reconnaissent les nations indiennes commes des puissances indépendantes. Il n'est pas question de s'engager dans de lourdes dépenses, militaires ou civiles, pour l'entretien de colonies dont, au contraire, on espère tirer le maximum de profit. Il faut donc ménager les susceptibilités pour obtenir, à moindres frais, la nourriture, la fourrure, la terre et, bien sûr, la paix. Pour cela, on multiplie les cadeaux lors des rencontres. De la verroterie, du fer, des vêtements, de l'alcool, des armes, sont offerts non seulement aux chefs, mais aussi aux guerriers avant les opérations militaires, pendant les tractations commerciales, ou tout simplement à l'occasion d'une visite. Très appréciées sont les médailles où s'inscrit en relief la tête du roi de France, ou celle du prince de Galles, fameux « chef à médailles ».

Le gouverneur veille à inscrire chaque année dans le budget de la colonie une somme destinée à l'achat de cadeaux. L'alliance est à ce prix, la tribu qui ne reçoit pas son dû risquant de faire défaut.

Cette politique de présents introduit, elle aussi, bien des perturbations au sein des communautés indiennes : les Blancs récompensent les « bons » Indiens, ceux qui se battent à leurs côtés. Ainsi fabriquent-ils des chefs, et désorganisent-ils le système de relations internes de la tribu.

Le commerce entre les Indiens était très codifié, les commerçants blancs devaient se soumettre à un rituel. Tisser un réseau de parenté, forger des amitiés solides, faire preuve de générosité et de courage assuraient le succès. Les palabres, les cadeaux, le calumet de bouche en bouche, les silences tenaient une place aussi importante que les objets eux-mêmes. « Les cadeaux séchaient les larmes, apaisaient les colères, ouvraient les portes des pays étrangers et ramenaient les morts à la vie », disait un trappeur à la fin du XVIIIe siècle.

Bien plus que des faveurs, les Indiens réclament respect et considération

Otreouti, chef des Onondagas, le dira sans ambiguïté aux Français : « Nous sommes nés libres. Nous ne dépendons ni d'Ononthio [le gouverneur français], ni de Corlaer [celui de New York, l'ancienne Nouvelle-Amsterdam]. Nous pouvons aller où ça nous plaît et emmener avec nous ce que nous désirons. Nous ne recevons aucun ordre, si ce n'est de notre peuple. »

Les grandes confédérations, les Hurons, les Iroquois et, plus tard, les Sioux, tiennent farouchement à leur indépendance, et n'entendent pas se laisser asservir.

Entre Blancs et Indiens s'instaure un jeu politique complexe, dont une des pièces maîtresses est le fort militaire. Symbole de puissance pour les Européens, il est destiné à impressionner l'ennemi, à rassurer les alliés et à protéger colons et trappeurs. Pour les Indiens il n'y a rien là de très nouveau : avant même la conquête, les agriculteurs du Nord-Est avaient coutume d'entourer leur village d'une palissade de pieux. Et puis, les forts ne sont que de bien piètres

Quand ils le pouvaient les Indiens échangeaient leurs vêtements de peau contre des habits européens, pourtant moins pratiques et moins résistants, d'autant qu'ils ne les lavaient jamais. La couverture aux couleurs vives connut un grand succès et chassa la « robe de castor », le long manteau en fourrure que l'on portait en hiver.

Tout comme leurs frères iroquois du nord-est, les Indiens séminoles de Floride entourent leurs villages de hautes palissades en bois.

symboles : aux XVIIᵉ et XVIIIᵉ siècles, les garnisons qui y séjournent sont aussi mal équipées que mal ravitaillées. Dans l'Ouest, les soldats français des forts s'habillent de peaux, vivent avec des Indiennes, pratiquent le commerce de la fourrure et en sont réduits à troquer de la nourriture avec les tribus voisines.

Parfois s'établissent entre Indiens et Blancs des relations plus intimes... au grand dam de certains

Les Indiens ne se satisfont pas de relations strictement politiques ou militaires. Pour consolider les rapports commerciaux ou amicaux, les tribus accueillent chaque hiver des jeunes colons de douze à quatorze ans, qui viennent apprendre la langue et essayer de comprendre les mœurs indiennes. Ils deviennent des truchements, des interprètes-guides très efficaces lors des négociations. Mais leur séjour conduit souvent à des rapports de concubinage qui ne sont pas du goût de tous. Si Champlain, à son arrivée, avait émis le vœu : « Que les deux peuples n'en fassent plus qu'un », les autorités françaises font bien vite machine arrière. On craint que les « Français, à vivre avec des sauvages, ne deviennent sauvages ».

Quant à l'Eglise, elle est férocement hostile au mariage à l'indienne, dans lequel elle ne voit que « libertinage et luxure ». Ce qui vaudra cette réflexion d'un Iroquois à un jésuite : « Si vous aimez nos âmes comme vous l'affirmez, aimez nos corps. » Tout au plus les missionnaires acceptent-ils les mariages avec des Indiennes baptisées, qui élèvent leurs enfants en bons chrétiens. L'éducation des petits Indiens est en effet un autre sujet de scandale pour les Européens, qui n'admettent pas la totale liberté dans laquelle grandissent les enfants. Malgré la condamnation des jésuites, malgré les réticences du gouvernement, la « peste » du concubinage se répand, car les Français sont très attirés par les Indiennes. Anglais et Hollandais semblent avoir beaucoup moins succombé à la tentation : la morale puritaine ne l'aurait pas toléré...

Publié en 1632, le récit de captivité de Mary Rowlandson connut un énorme succès. Par la suite, le genre fit florès : 311 récits de captivité ont été recensés, dont plusieurs furent traduits à l'étranger.

Cette littérature demeure un document ethnographique qui permet de pénétrer au cœur de la société indienne.
Les captifs étaient adoptés par une famille et vivaient avec elle. Elevés dans l'affection, les enfants oubliaient leur langue maternelle et s'indianisaient très vite. Devenus « sauvages » ils s'échappaient, si les Blancs voulaient les « récupérer », pour retrouver leur famille indienne.

Certains trappeurs français entretiennent plusieurs squaws, dans différents villages. Guide, interprète, conseillère, la squaw permet d'améliorer les relations avec la tribu... et sait, mieux que quiconque, préparer les peaux ! De son côté, elle préfère souvent un mari blanc, moins brutal qu'un éventuel mari indien, et dont les cadeaux rehaussent son prestige au sein du groupe. Si les Indiens acceptent ces unions beaucoup mieux que ne le fait la société européenne, ils reconnaissent en revanche n'avoir que peu de goût pour les peaux roses ou laiteuses. C'est pourquoi les cas de mariage de Blanches avec des Indiens sont assez rares.

De nombreuses Européennes vivent pourtant dans les villages indiens : faites prisonnières pendant la guerre, elles restent parfois dans la tribu pendant de longues années. Bien traitées, respectées de tous, elles participent aux travaux ménagers, à la vie de la communauté.

L'affirmation d'un chef delaware aux Anglais en 1758 n'est pas un vain mot : « Nous vous aimons plus que vous ne nous aimez car lorsque nous prenons un prisonnier, nous le traitons comme nos enfants. »

Certaines, comme l'Anglaise Jemison, finissent même leur vie auprès de leur famille indienne, après avoir été « adoptées ».

« Ils n'ont ni foi ni loi »… Quelle aubaine pour une chrétienté européenne qui ne rêve que prosélytes et martyrs !

Des récollets puis des jésuites français ne tardent pas à s'embarquer pour la Nouvelle-France, tandis que des pasteurs accompagnent les immigrés anglais et hollandais. La fondation, en Nouvelle-Angleterre, dès 1649, de la Société pour la propagation de l'Evangile est en soi tout un programme. Quelques années plus tard, John Eliot traduit la Bible en algonquin, et la fait imprimer à Harvard.

En Nouvelle-France, les jésuites entreprennent une vaste campagne d'évangélisation, tant auprès des Algonquins que des Hurons et des Iroquois. Grâce aux lettres (les *Relations*) qu'ils envoient dans le royaume, ils recueillent des dons importants qui servent à financer les voyages, la construction de chapelles, l'achat d'images pieuses et l'éducation catholique de jeunes Indiens à Québec ou à Montréal.

Avant 1675, plus de 4 000 Indiens sont convertis, à la grande satisfaction du pouvoir politique. Les gouvernements en effet appuient cette offensive idéologique, qui ne peut que servir leurs desseins « civilisateurs ».

Contrairement à ce que prétendent les Européens, les Indiens possèdent un système de croyances très élaboré

Pour les chrétiens, l'Indien est soit un être primitif, ignorant du péché et donc malléable, soit un sauvage abruti de superstitions, vivant presque à l'état animal et dont il convient d'entreprendre au plus tôt l'éducation. Les missionnaires adoptent l'une ou l'autre de ces conceptions selon les peuples qu'ils rencontrent (Hurons et Iroquois sont moins « sauvages » que les Indiens errants du Nord), mais aussi selon le succès que remporte leur évangélisation. Au début, les Indiens sont un peu décontenancés par ces « robes noires », qui ne sont ni commerçants ni militaires, mais dont l'autorité est reconnue par les autres Blancs.

La première indienne déclarée sainte s'appelle Tekakouitha. En pleine guerre iroquoise, elle découvre l'univers religieux des Français et s'impose des mortifications sous les sarcasmes des Indiens. Baptisée en 1676, elle meurt en 1680, à 24 ans. Ses reliques sont l'objet d'un culte encore aujourd'hui.

Jean de Brebeuf et Gabriel Lallemant, tués par les Iroquois en 1649, furent au nombre des jésuites qui subirent le martyre à cette époque.

P. Joan. de Brebeuf, und P. Gabriel Lallemant S. J. beyde Frantzosen nemmen nach unerhört-grausamen Sengen und Brennen / Schinden / Schneiden / Zerfleischung und Stümmlung aller Glider einen glorreichen Marter-Tod den 16. und 17. May. 1649.

L'appel de la forêt

Le trappeur demeure l'une des figures légendaires de l'épopée américaine. Jusque dans les années 1860-1870, le commerce de la fourrure, loin d'être une activité marginale, a tenu une place importante dans l'économie américaine. Dès le XVIIe siècle, chaque colonie possède ses « hommes à fourrure », *bush lopers* hollandais, trappeurs anglais, coureurs de bois français. Le castor paye les importations de colons car il reste longtemps le produit qui se vend le mieux en France.

En Nouvelle-France se constitue une véritable caste de professionnels de la traite, les coureurs de bois. Travaillant toujours en équipe, les coureurs de bois embarquent leurs marchandises d'échange sur des canots en écorce de bouleau et vont les troquer contre des peaux, au cœur du pays indien. Dès le XVIIe siècle, les coureurs de bois s'aventurent dans l'Ouest, naviguent en longeant les rives des Grands Lacs, descendent le Mississippi et découvrent un océan d'herbes, la Prairie. Ils ne vivent que pour suivre la marche du soleil.

Des Blancs devenus sauvages

Les « chemins d'eau » permettent d'atteindre les tribus de l'Ouest, là où se trouvent les plus belles fourrures. Profitant des beaux jours, les coureurs de bois remontent les rivières dans des canots chargés de chaudières, de verroterie, de fusils et de petits barils de rhum. Ils vont de village en village et s'arrêtent dans l'un d'eux pour passer l'hiver. Ils y retrouvent souvent une compagne indienne et partagent alors la vie familiale des Indiens. L'alliance matrimoniale renforce les liens avec le clan, le coureur de bois bénéficie de protection et les chasseurs lui proposent leurs fourrures. La fréquentation des Indiens modifie le comportement des trappeurs : peu à peu, ils s'indianisent, se font tatouer, adoptent les coutumes indiennes, leur pratique de la guerre et du scalp. L'affection de sa famille, la cordialité de ses amis indiens entraînent souvent le trappeur à oublier sa propre société et à attendre, près d'un *tipi*, le soir de sa vie.

Les hommes des montagnes

De lourds radeaux remontent le Missouri. De Saint-Louis, ils gagnent les lieux de « rendez-vous » où les attendent les *mountain men*, les trappeurs des montagnes Rocheuses. Ces trappeurs passent de longs mois à poser des pièges dans les cours d'eau et les lacs des Rocheuses. Castors, renards, lynx, ours et même bisons sont traqués par deux ou trois mille Blancs dont les trois quarts sont des Canadiens français ou des Métis. Pendant des mois, le trappeur doit supporter la solitude, le froid, la faim, la menace des Indiens. Au printemps, il descend dans la plaine son lot de peaux qu'il vend aux grandes compagnies de fourrures. Il espère être assez riche un jour pour pouvoir se retirer à Saint-Louis ; ou bien, las de la course à la fourrure, il abandonne la montagne, se met au service de l'armée et devient, comme Kit Carson, un excellent guide.

Ils les acceptent cependant dans leurs villages, où leur conduite suscite autant de curiosité que de crainte.

Le missionnaire s'efforce d'expliquer les concepts du christianisme. Il a recours à des images, ce qui passionne les Indiens, fascinés par ces représentations de la Divinité ou de l'Enfer. Il n'hésite pas à user de tous les stratagèmes : faire brûler de l'eau-de-vie, guérir vaguement les malades, prédire une éclipse. Il utilise le « papier qui parle » (l'écriture), le miroir et la boussole.

Mais bien des notions restent hermétiques aux Indiens, comme le péché originel, et même le péché tout court, qui n'a pas d'équivalent dans leur religion. La plupart d'entre eux n'acceptent le baptême que pour faire plaisir au missionnaire, ou dans l'espoir d'acquérir le pouvoir des Blancs.

Le missionnaire entre bientôt en concurrence avec le chaman, personnage clé de la société indienne, à la fois sorcier et médecin. Il dénonce ce « suppôt de Satan », ce charlatan qui, par des pitreries, tente de soigner ou de prédire l'avenir. Le chaman, de son côté, craignant de perdre son influence, cherche à ridiculiser son adversaire, à dresser les Indiens contre lui, en le tenant pour responsable des malheurs qui frappent la tribu, guerres ou épidémies. Certains missionnaires paieront d'ailleurs ces accusations de leur vie.

Les Indiens, qui attachent la plus grande importance aux rêves et à leur interprétation, ne supportent pas que les missionnaires condamnent ces oracles, les tournent en dérision. Ils n'apprécient guère non plus les jugements que portent les religieux sur leurs mœurs sexuelles : liberté des jeunes filles, facilité du mariage et du divorce, homosexualité sont pour ceux-ci autant de signes de « l'emprise de Satan et du péché ». Et comment admettre que l'âme puisse finir au Purgatoire ou en Enfer ! D'ailleurs, certains Indiens convertis se font enterrer à l'indienne, préférant retrouver le territoire des ancêtres plutôt que de subir le châtiment éternel.

Plus terribles encore que la guerre : les épidémies apportées par les Blancs

On n'a mesuré que très tardivement l'ampleur du choc biologique subi par les populations non immunisées. Variole, rougeole et choléra ont représenté, jusqu'au XIXe siècle, une catastrophe sans précédent. Introduites par les pêcheurs et les explorateurs, propagées par les trappeurs et les militaires, les épidémies rayent de la carte des tribus entières. Elles sont particulièrement fatales aux enfants et aux personnes âgées, mais font aussi de terribles ravages parmi les adultes : dans le deuil, des guerriers se suicident avec leur famille ; des orphelins se retrouvent à la merci des chiens et des loups. En quelques mois, l'Indien a vu son monde trembler sur ses bases. Comment pouvait-il dès lors opposer résistance à un adversaire dont la supériorité s'affirme tous les jours un peu plus ?

La splendide parure de Pehriska-Ruhpa, chef minnetaree, ne doit pas tromper : seuls comptent sa générosité et son courage. A tout moment, le chef peut être remis en cause par un guerrier. Nul n'est obligé de le suivre à la guerre ou d'accepter une décision qui lui paraît contestable.

Ignorants des dégâts qu'elles peuvent causer, les Indiens se laissent séduire par les boissons qui ouvrent la porte aux visions, dont on sait l'importance dans leur culture.

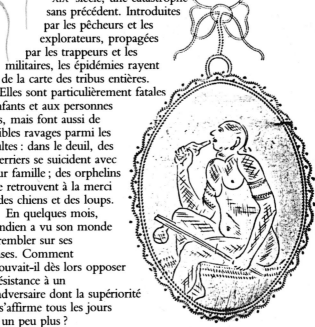

Alors que s'achève le XVIIIᵉ siècle, le monde indien s'apprête à vivre une longue agonie. Déjà, dans le nord-est du pays, la plupart des tribus de moindre importance ont été éliminées de la scène politique. La partie, désormais, se joue entre Anglais et Français. Leur conflit va faire de la terre américaine un sanglant champ de bataille.

CHAPITRE IV
LE CHEMIN DES LARMES

" Laisserons-nous détruire notre peuple sans combattre, abandonnerons-nous notre pays légué par le Grand Esprit, les tombes de nos morts et tout ce qui nous est cher et sacré ? Jamais ! Jamais ! "

Tecumseh,
chef des Shawnees

La rivalité franco-anglaise croît avec le développement des colonies de chacun. Les Français ne cessent d'étendre leurs possessions. Les explorations et le commerce de la fourrure ouvrent les portes de l'Ouest aux sujets de Louis XIV. Les Grands Lacs, le Mississippi, les rives de la baie d'Hudson sont sillonnés par les « coureurs de bois » (ainsi appelle-t-on alors les Français qui font le commerce de fourrure avec les Indiens) et les missionnaires. Des forts s'élèvent ici et là, des alliances se nouent aux confins de la « civilisation ».

Le long de la côte atlantique, les colonies britanniques continuent à accueillir des immigrés. Aux Anglais s'ajoutent maintenant des Irlandais, des Ecossais, des Allemands. Chassés d'une Europe surpeuplée, tous espèrent ce lopin de terre que leur ont fait miroiter les agents recruteurs avant l'embarquement.

L'impatience des nouveaux colons s'exaspère au XVIIIᵉ siècle : les meilleures terres restent aux mains des sauvages

Les immigrants sont profondément irrités par la politique de la Couronne britannique : le roi sait qu'il a besoin des Indiens dans sa lutte contre les Français. Aussi ménage-t-il soigneusement ces alliés... que les colons briseraient volontiers. L'inquiétude se fait de plus en plus vive face à l'expansion française. Ainsi, quand les Creeks, les Choctaws et les Cherokees attaquent, en 1735, les villages de Caroline, leurs habitants y voient l'influence des Français de Louisiane. Pourtant, la politique indienne de la France est loin de ne connaître que des succès : en 1730, les tribus natchez du bas Mississippi se soulèvent, puis c'est au tour des Fox et des Sioux des Grands Lacs. Les embuscades succèdent aux embuscades, et une mission d'exploration, conduite par un des fils de La Vérendrye, sera entièrement massacrée en 1732.

L e 27 juillet 1777, des Iroquois accompagnant l'armée anglaise du général John Burgoyne tuent près de New York une jeune femme blanche, Jane MacCreh. L'émotion suscitée par cet acte dépassa l'horreur du meurtre gratuit. Les patriotes américains l'utilisèrent comme propagande contre ces « chiens d'Anglais ». Les Indiens se révélaient parfois des alliés encombrants car ils pratiquaient des représailles à l'insu du commandement ou menaient une guerre de pillage à leur profit.

En tentant de s'installer, en 1748, dans la vallée de l'Ohio, les Anglais déclenchent les hostilités

Dirigés par des officiers français ou des coureurs de bois, Abenakis, Miamis et Illinois répondent en attaquant des maisons isolées, en massacrant leurs occupants. Même les postes anglais subissent leurs assauts. La Frontière (c'est-à-dire la ligne la plus avancée du peuplement européen) devient une zone extrêmement dangereuse.

Cette campagne d'escarmouches se transforme en guerre totale en 1756. La guerre de Sept Ans, comme on l'appellera en Europe, la *French and Indian War,* comme disent les colons, ensanglante tout l'est. Cinquante mille soldats anglais viennent aider les colons et les Iroquois, tandis que les Français mobilisent tous leurs alliés indiens de l'Ouest. Les deux camps se livrent une guerre sans merci, chacun commet les pires atrocités, le prix des scalps monte.

Au XVIIe siècle, des chevaux échappés des villages espagnols du Sud-Ouest retournent à l'état sauvage. Les Indiens comanches les capturent, les dressent, en font l'élevage et les vendent. Un siècle plus tard, toutes les tribus des Plaines connaissent le mustang qui remplace le seul animal domestiqué jusqu'alors par les Indiens, le chien. D'ailleurs, le nom du cheval en langue indienne, « chien sacré », est révélateur de l'importance qu'il revêt dans leur mode de vie. Les Indiens portent au cheval une véritable dévotion, et son apparition bouleverse littéralement leur culture : il accentue l'individualisme, accroît la mobilité, développe le goût pour les razzias.

La supériorité française dans l'Ouest n'empêche pas la chute de Québec et la défaite de Montcalm. Par le traité de Paris, signé en 1763, Louis XV abandonne « quelques arpents de neige » et tout l'est du Mississippi à la Couronne britannique. L'empire français d'Amérique a cessé d'exister.

Indirectement, la défaite française porte un coup fatal à la résistance indienne

Non seulement les Indiens ne peuvent plus jouer de la rivalité franco-anglaise, mais ils doivent désormais affronter seuls les colons britanniques. Or les Treize Colonies sont, plus que jamais, avides de terre et entendent bien récolter les fruits de la guerre. Conscients de cette menace, les anciens alliés des Français dans l'Ouest reprennent les hostilités dès la signature du traité.

Au printemps, Pontiac, le chef ottawa, mobilise les troupes du sud des Grands Lacs. Les forts tombent un à un, en quelques semaines. Mais les Indiens échouent devant Detroit. Pour venir à bout de leur résistance, le général anglais Amherst fait répandre la variole dans les villages et lance les « colonnes infernales » du colonel Henry Bouquet dans la vallée de l'Ohio.

Malgré son échec, la révolte menée par Pontiac a semé l'inquiétude, et le gouvernement anglais décide de limiter l'avance des colons au-delà des Appalaches. En 1763, il proclame que les territoires de l'Ouest appartiennent aux nations indiennes, et que nul ne peut s'y installer ou y commercer sans l'autorisation des autorités coloniales.

En protégeant ainsi le droit des Indiens, le roi d'Angleterre cherche à contrecarrer les projets expansionnistes des colons. Peine perdue, rien

Dès la fin du XVIIIe siècle, les almanachs prolifèrent dans toute l'Amérique. Des dessins naïfs y sont reproduits, illustrant les exploits des « hommes de la Frontière ». Par ce terme de frontière, les Américains entendent la zone de contact entre le monde sauvage, la nature vierge où vivent les Indiens, et la civilisation. C'est le royaume des *blackwoodmen*, aventuriers à la fois chasseurs, tueurs d'Indiens, bandits sans foi ni loi. Daniel Boone, Davy Crockett sont de cette race des « gars du Tennessee » qui ouvrent à la jeune nation américaine les portes de l'Ouest. Les exploits de Davy Crockett sont entrés dans la légende, comme sa mort héroïque contre les Mexicains de Fort Alamo en 1830.

n'arrêtera la marche vers l'ouest. Les colons considèrent que les espaces de l'Ouest leur sont dus et que leurs droits y sont imprescriptibles. Dans le Kentucky, les Davy Crockett et Daniel Boone chassent les Shawnees. L'administration est vite débordée. Elle ne contrôle plus rien. Elle doit même, lors du traité de Fort Stanwix, en 1784, obliger les puissants Iroquois à céder leurs terres de l'Ohio.

A la fin de la guerre de Sept Ans, la révolte de Pontiac inquiète les colons. Pour la première fois, un chef « sauvage » réussit à mobiliser des tribus contre une nation. Une stratégie qui préfigure la lutte des Sioux un siècle plus tard. La révolte de Pontiac affermit la détermination des colons contre les Indiens. Et par la suite, bien que les captifs soient rendus, la haine demeure.

Le colonel Henry Bouquet, qui remporta la victoire décisive de Bushy Run contre Pontiac, prit aussi part aux négociations qui suivirent. Il exigea d'énormes concessions de la part des Indiens et assista personnellement à la restitution par eux des prisonniers blancs.

Les Treize Colonies ne cessent de faire la guerre aux Indiens que pour combattre la tutelle anglaise

En 1775, la rupture est consommée entre le gouvernement britannique et les colons, qui exigent leur indépendance. Cette révolte met un terme à la guerre indienne, et les Iroquois deviennent soudain l'objet de la sollicitude des deux adversaires. Ils décident d'abord de garder la neutralité mais, dès 1776, des dissensions apparaissent au sein de la Ligue des Iroquois.

Son indépendance acquise, la jeune nation américaine est impatiente de s'avancer dans le Nord-Ouest, en remontant la vallée de l'Ohio. Mais dans les années 1790-1791, les Américains ne connaissent que des échecs devant des Indiens dont les Anglais attisent la rancœur.

GEORGE WASHINGTON
PRESIDENT.
1792

Un jour, après un bon festin, les Senecas, enivrés par les agents anglais, prennent le parti du roi, alors que Oneidas et Tuscaroras acceptent d'aider les rebelles (ainsi désigne-t-on ceux qui sont désormais des « Américains »). Les tribus du Sud-Est, les Choctaws, les Cherokees et les Creeks, possèdent dix mille guerriers, que les agents anglais espèrent bien entraîner dans le conflit. Mais quand les Cherokees interviennent contre les Américains, l'échec qu'ils subissent et la répression qui s'ensuit impressionnent leurs voisins et les dissuadent de se mêler à cette guerre. De toute façon, les nations indiennes ne se

Au printemps 1792, le président George Washington décide d'envoyer une mission de paix dans la vallée de l'Ohio. Il fait savoir aux Indiens que les Américains souhaitent « les conduire à la civilisation, leur apprendre à cultiver la terre, à éduquer leurs enfants ».

font guère d'illusions sur le sort que leur réserve le vainqueur. En 1783, le traité de Versailles reconnaît l'existence de la République fédérale des Etats-Unis.

Forte de son succès, la jeune nation ignore superbement les Indiens et ne cache pas son ambition dévorante

Lorsque fut abordée, au cours des négociations, la question des terres à l'ouest du Mississippi, l'Espagnol Conde de Aranda avança que le territoire appartenait aux nations indiennes « libres et indépendantes ». Il ajouta : « Vous n'avez aucun droit dessus » et s'attira cette réponse fort claire du négociateur américain : « Par rapport aux Indiens, nous réclamons un droit de préemption, en ce qui concerne les autres nations, nous réclamons la souveraineté sur tout le territoire. »

La mise en application de cette politique ne se fait pas attendre : en 1784, les Iroquois sont contraints de céder une partie de leurs terres ; on leur fait brutalement comprendre qu'ils ne sont plus maintenant qu'un peuple conquis, qui doit se soumettre au nouvel ordre. Le gouverneur distribue aux vétérans de la révolution des terres dans la vallée de l'Ohio et au sud des Grands Lacs. Pour imposer silence aux Indiens de ces régions, le général Wilkinson les convoque et, dans un discours très ferme, leur explique que « les guerriers des Etats-Unis sont aussi nombreux que les arbres de la forêt ».

En réaction, les Indiens du Nord-Ouest s'organisent en une vaste confédération, où se retrouvent Delawares, Ottawas, Potawatomis, Miamis, Shawnees, Chippewas et Wyandots, sous la direction de Blue Jacket. Mais la puissance américaine écrase dans l'œuf cette tentative de soulèvement. En 1784, le général Wayne détruit les troupes indiennes à Fallen Timbers.

L'ordonnance de 1787 pourrait laisser espérer un règlement plus juste des questions territoriales, puisqu'elle reconnaît la légitimité de la propriété tribale, la souveraineté des Indiens sur leur territoire, et considère les tribus comme des nations étrangères avec lesquelles on peut signer des traités. Mais dans le même temps, l'ordonnance stipule que les régions de l'Ouest pourront se constituer en territoires qui, une

Le 2 août 1794, le général Anthony Wayne porte un coup décisif à « des Sauvages devenus confiants, arrogants et insolents », selon ses propres termes.

fois atteint le quorum de 60 000 colons, seront admis comme Etats dans l'Union. Une ambiguïté de taille, qui laisse le champ libre à la colonisation de l'Ouest lointain, le Far West.

Le mépris affiché par les colons finit par réveiller l'orgueil du peuple indien

Insatiables, les colons défrichent terre sur terre, sans se soucier le moins du monde de leurs voisins indiens. Ils

Les Shawnees, les Delawares et les Hurons, commandés par Blue Jacket et une poignée d'Anglais, cèdent devant les baïonnettes américaines à la bataille de Fallen Timbers, dans l'Ohio.

Ce document témoigne des bouleversements qui interviennent dans l'Ouest. Des Indiens ojibwas et des Métis partagent le même amour de la chasse sous le regard d'une Indienne, peut-être l'épouse de l'un des chasseurs métis. Les contacts étroits entre les Blancs et les Indiens dans le commerce de la fourrure ont donné naissance à une importante communauté métisse qui se concentre au XIXe siècle dans la Prairie canadienne. Surnommés les « Bois brûlés » par les Blancs en raison de la couleur de leur peau, les Métis se groupent par villages où prédominent la langue française et la religion catholique. Ils traquent le bison en été et approvisionnent en viande les forts des compagnies de fourrures. Ils entretiennent des rapports amicaux avec les Ojibwas mais redoutent l'agressivité des Sioux. Ces communautés métisses tenteront de se faire reconnaître par le gouvernement, sans succès, malgré des révoltes dont la dernière, celle de 1885, mettra fin à tout espoir d'une « nation métisse ».

laissent leurs cochons vagabonder dans les bois, clôturent les prairies où les tribus avaient l'habitude de faire paître leurs chevaux. Des conflits surgissent à propos des scieries installées sur les rivières. Du jour au lendemain, de propriété collective d'une tribu, une forêt devient propriété privée où il est interdit de couper ou de ramasser du bois. C'est plus que n'en peuvent supporter les Indiens. Une nouvelle résistance s'organise. La lutte, dorénavant, passe par le retour aux traditions et l'appel à l'unité. Elle est aussi le fruit d'un renouveau religieux, qu'incarne Handsom Lake, un Seneca.

Profondément marqué, comme nombre d'Indiens, par les missions chrétiennes, le vieux Seneca prêche une religion qui mêle les concepts animistes et catholiques, qui intègre la notion de péché aux vieux mythes iroquois.

Avec Tecumseh et son frère, la résistance indienne à l'Est jette ses derniers feux

Handsome Lake est le contemporain d'un autre prophète, partisan, lui, de la lutte armée : Tenskwatawa, frère du chef shawnee Tecumseh.

De 1805 à 1811, le chef et le prophète se rendent de tribu en tribu pour redonner leur fierté aux vaincus et les exhorter à s'unir. « L'anéantissement de notre race est proche, à moins que nous ne nous unissions dans une cause commune contre notre ennemi commun. »

En 1835, le chef seminole Osceola lacère le traité proposé par le président Jackson.

Ci-dessous : le chef Tecumseh.

Inquiet de l'audience du messie shawnee, le gouvernement cherche à saper son prestige en poussant des chefs à vendre leurs terres. Quand son frère lance une troupe d'Indiens mal organisés contre le fort de Tippecanoe, leur échec est aussi le sien. Tecumseh pense saisir une chance en s'alliant, en 1812, aux Anglais qui affrontent les Américains près des Grands Lacs. Mais ses alliés britanniques l'abandonnent à la bataille de la Thames, où il trouve la mort. L'élimination de Tecumseh sonne le glas de la résistance indienne. Les tribus refluent vers l'ouest du Mississippi, une région qui leur apparaît comme un havre de paix.

Les tribus qui choisissent de rester à l'est doivent se plier à la politique mise en place par Andrew Jackson, le nouveau président des Etats-Unis.

En 1819, la Floride devenue américaine, les exactions se perpétuent, entraînant une guérilla permanente jusqu'en 1842. Osceola a pour *alter ego* Tecumseh, grand chef shawnee. Les deux hommes, par d'exceptionnelles qualités de chefs, réussirent à mobiliser des milliers de guerriers contre les Blancs.

CHEROKEE   PHŒNIX

Farouche partisan de l'intégration des Indiens, Jackson n'est pas non plus hostile au déplacement des tribus sur les réserves.

Creeks, Cherokees et Choctaws acceptent de s'européaniser, et deviennent des « tribus civilisées ». Ils se christianisent, envoient leurs enfants à l'école et travaillent dans l'agriculture.

Malgré ces efforts d'intégration, quand on découvre de l'or sur le territoire des Cherokees, les Américains n'ont de cesse de chasser la tribu. Pour éviter l'expulsion, les « Indiens civilisés » en appellent à la loi des Blancs et demandent à la Cour suprême de suspendre les décisions prises à leur encontre par les Etats de Géorgie et d'Alabama. Le verdict ne se fait pas attendre : « La nation cherokee est une nation domestique et dépendante. » Ainsi, l'année 1830, le peuple cherokee prend le « chemin des larmes » : il traverse le Mississippi et va s'établir en Oklahoma, à côté des dizaines de tribus déjà chassées de l'Est. Là, le gouvernement leur garantit des terres « tant que l'herbe poussera et que les fleuves couleront »…

Le Cherokee Sequoyah chercha pendant longtemps un moyen de représenter les mots cherokees par le langage écrit. Après avoir fractionné chaque mot en syllabe, il emprunta des lettres à l'alphabet anglais ou inventa des symboles simples pour chacune d'elles. Les 86 caractères permettaient aux Cherokees d'apprendre à lire et à écrire. En 1821 parut le premier journal bilingue, le *Cherokee Phœnix* : à gauche, les caractères GWY se lisent TSA-LA-TI, qui est le nom indien de la tribu cherokee. En 1840, l'Américain James Evans créa un alphabet cree encore employé aujourd'hui.

Les noms qui figurent sur cette carte sont ceux des principales tribus indiennes au début du XIXᵉ siècle. Mais le nombre des tribus est beaucoup plus important. Ethnologues et historiens divisent l'Amérique du Nord en « aires culturelles » correspondant à une certaine unité du milieu écologique et du mode de vie, avec toutefois des exceptions.

Dans le Nord-Est prédominent les villages d'agriculteurs sédentaires, tels que les **Iroquois**, les **Hurons**, les **Delawares**, les **Shawnees**. Les **Algonquins**, eux, sont des chasseurs cueilleurs. Près des côtes, les tribus associent pêche et chasse, tels les **Micmacs**, les **Abenakis**, les **Beothuks**, les **Penobscots**. Dans le Sud-Est, les **Cherokees**, les **Choctaws**, les **Creeks**, les Natchez sont des agriculteurs

océan Pacifique

CANADA

KWAKIUTL

ASSINIBOIN

NOOTKA

BLACKFEET

MANDA

NEZ-PERCÉ

SIOUX

SHOSHONE

ZUNI

ÉTATS-UNIS

CHEYENNE

KIOWA

HOPI

APACHE

COMANCHE

MEXIQUE

fixés dans de gros villages. En Floride, les **Timucuas** étaient des chasseurs pêcheurs. Autour des Grands Lacs séjournaient les **Sauks**, les **Fox**, les **Miamis**, les **Ojibwas**, qui récoltaient le riz sauvage et pêchaient le « poisson blanc » (une sorte de grosse truite). Dans le Sud-Ouest, les **Hopis**, les **Navajos**, les **Zunis** cultivaient le maïs alors que, dans les déserts voisins, les **Mohaves, Pimas,** traquaient le petit gibier et ramassaient des baies. Les Grandes Plaines étaient le royaume des chasseurs de bisons : **Sioux, Pawnees, Comanches, Cheyennes, Osages, Kiowas, Assiniboins, Blackfeet, Nez-Percés, Shoshones.** Les **Mandans** sont les seuls Indiens des Plaines à associer chasse et agriculture. En Californie, les **Pomos**, les **Maidus**, les **Hupas** récoltaient les glands et vivaient de la chasse au petit gibier. Dans le Nord-Ouest, les **Kwakiutls**, les **Nootkas**, les **Haidas**, les **Tlingits** et les **Tsimshians** sont pêcheurs de saumon. A la limite du Grand Nord , les **Chipewyans** et les **Crees** traquaient le caribou.

CREE

SENECA

IROQUOIS

HURON

MOHEGAN

SAUK ET FOX

CHEROKEE

OSAGE

SEMINOLE

océan Atlantique

En 1804, deux officiers américains, Clark et Lewis, sont chargés par le président Jefferson d'explorer l'Ouest sauvage. Ils entreprennent une mémorable expédition qui les mène, à travers les Rocheuses, jusqu'au Pacifique. A l'exception de quelques trappeurs, aucun Blanc ne s'est encore aventuré si loin vers l'ouest. Avant le XIXe siècle en effet, le Far West n'attire guère les Américains, qui se contentent d'y exiler les tribus de l'Est.

CHAPITRE V
LA CONQUÊTE DE L'OUEST

En 1886, le célèbre spectacle de Buffalo Bill, *l'Ouest sauvage*, compte deux nouvelles attractions : Little Annie Oakley qui, à trente pas, fend une carte à jouer d'un coup de pistolet, et Sitting Bull (ci-contre), le vieux chef sioux, qui a accepté ce rôle pour échapper à l'ennui de la vie dans les réserves.

Les westerns se complaisent à montrer des Indiens tourbillonnant autour des chariots de valeureux pionniers. Mais les attaques furent beaucoup moins fréquentes qu'au cinéma. En cas de réel danger, par exemple en 1865 lorsque les Sioux et les Cheyennes coupèrent la piste Bozeman, l'armée interdit aux convois de s'y engager.

Vaste espace parcouru de troupeaux de bisons que suivent des Indiens nomades, l'Ouest est décrit par les explorateurs tantôt comme un immense désert, tantôt comme le futur paradis agricole de la nation.

En ce début du XIXe siècle, les trappeurs qui remontent fleuves et rivières rencontrent les peuples cavaliers de la Prairie. Les montagnes Rocheuses sont encore inexplorées, mais la Californie du Sud est occupée par les Espagnols. A cette même époque, sur les plages du Pacifique abordent des commerçants anglais et russes, à qui les Tlingits, les Kwakiutls et les Chinooks proposent des peaux de loutre.

Au XIXe siècle, le gouvernement américain, tout en promettant la paix et des terres aux Indiens qu'il chasse de l'Est, encourage les nouveaux immigrants à s'installer dans le Far West. Car les Européens affluent toujours plus nombreux : entre 1840 et 1860, ce sont plus de quatre millions de colons qui arrivent aux Etats-Unis. La découverte d'or en Californie et dans le Colorado n'est pas étrangère à cette ruée...

En 1846, le Texas entre dans l'Union, y intégrant du même coup vingt-cinq mille Indiens, dont quinze mille Comanches. Jaloux de leur liberté, ces derniers rendront impossible l'entente entre les deux communautés, malgré la politique conciliante de Houston. Pendant dix ans, Comanches et Apaches lipans mèneront une guérilla qui empêchera toute colonisation de leur territoire.

Malgré les Rocheuses et les Indiens, le peuplement de l'Ouest se poursuit

« Si vous êtes intéressés par le convoi pour l'Oregon en 1843, rejoignez Slaping Grove en mars, avec votre chariot et vos bêtes. » Répétée durant quelques années dans la presse du Missouri, cette publicité attira 1 000 personnes en 1843, 4 000 en 1844 et 5 000 en 1845. Des centaines de milliers d'autres suivirent jusqu'en 1869, année de l'achèvement du premier chemin de fer transcontinental. L'année 1843 fut appelée la « grande migration » parce que, pour la première fois, un imposant convoi se mit en marche vers le lointain Nord-Ouest. Les colons voyageaient cinq mois durant le long d'une piste de 3 200 kilomètres hérissée d'obstacles, dont la « barrière » des montagnes Rocheuses et les redoutables attaques indiennes n'étaient pas les moindres. Une piste qui, tout au long de son histoire, coûta la vie à quelque 20 000 émigrants.

Les Indiens se lançaient rarement dans des attaques frontales. Ils préféraient surprendre un chariot isolé ou tenter un raid au cours de l'avance du convoi. Les guerriers effrayaient le bétail en hurlant et cherchaient à provoquer l'emballement des chevaux. Surpris, le convoi était gagné par la panique et dans l'affolement, femmes et enfants tombaient parfois sous les roues des lourds chariots.

A l'ouest du Mississippi, deux voies permettent d'atteindre les Rocheuses et la côte du Pacifique : au nord, la piste de l'Oregon à travers le pays sioux et arapaho ; plus au sud, celle de Santa Fé, qui suit le territoire cheyenne. Le long de ces passages, les Européens transforment le milieu naturel en mettant les terres en culture, en les clôturant. Mais surtout, les colons, qu'ils s'installent ou qu'ils ne fassent que transiter, exterminent le gibier, particulièrement le bison, principal aliment des Indiens. Des millions de bêtes disparaissent ainsi, les Européens tuant souvent pour le plaisir de tuer.

L'hécatombe s'amplifie avec la construction de la voie ferrée, car il faut nourrir les ouvriers. C'est dans ces circonstances que s'illustre un certain William Fredrick Cody, dit Buffalo (bison) Bill... Chasseur de bisons hors pair, il encourage et promeut ce nouveau « sport ».

Pour les Indiens, la destruction massive des troupeaux prend des allures de catastrophe

Les immenses Plaines constituent un milieu écologique fragile. Ainsi, jusqu'en cette fin du XVIIIe siècle, les troupeaux de bisons vivaient-ils en symbiose avec les loups. Ces prédateurs régulaient les troupeaux en s'attaquant aux bêtes âgées ou malades. Quant à la couverture végétale, elle profitait de la fumure et des apports organiques des cadavres d'animaux.

A partir de 1870, les groupes de chasseurs traquent le bison seulement pour sa peau. Des centaines de carcasses d'animaux pourrissent au soleil. Les peaux sont envoyées dans l'Est et transformées en couvertures. Les éleveurs de bétail se réjouissent de la disparition du bison qui libère l'espace. Mais amène la prolifération des loups qui, en l'absence de leurs proies habituelles, se mettent à décimer sauvagement les troupeaux de bovidés nouvellement installés. Une

Confectionnée de ses mains la coiffe de guerre de l'Indien était en elle-même un langage, la taille des plumes ayant une signification propre .

guerre féroce s'engage contre eux. Les *wolfers* (chasseurs de loups) écument les Plaines, appâtant les animaux avec de la viande saupoudrée de strychnine.

Les loups disparaissent effectivement, mais également les rongeurs et les chiens des Indiens. Face à ce qui représente pour eux une nouvelle agression, ces derniers tendent des embuscades fatales aux chasseurs de loups. Le développement de l'élevage dans le Texas et le Kansas et les bovidés qui accompagnent les convois de pionniers constituent le

Sur la piste, la vie des pionniers était rythmée par la nature. Au coucher du soleil, le convoi de chariots formait un vaste cercle, le « corral ». On glissait le limon d'un véhicule sous les roues arrières de l'autre. On arrimait l'ensemble avec des chaînes après avoir fait entrer chevaux et bovidés à l'intérieur de la forteresse.

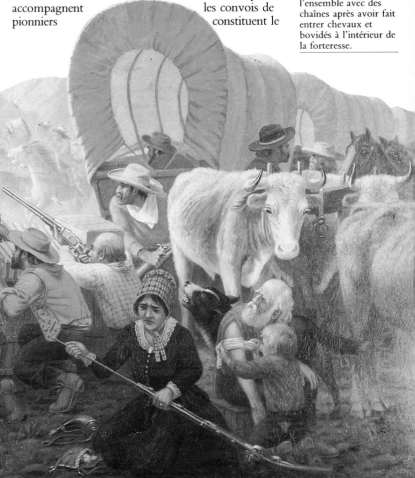

coup de grâce : les derniers troupeaux de bisons sont décimés par les épizooties. La fin du « dieu bison » annonce un autre monde. Les Indiens voient disparaître un mode de vie ancestral. Les conséquences en sont dramatiques. Des tribus entières sont condamnées à la famine. Alors, même les tribus les moins hostiles finissent par prendre les Blancs en haine.

Sentant monter la tension, Washington hésite entre plusieurs solutions. Certains, comme le général Sherman, invitent « tous les chasseurs d'Amérique du Nord et de Grande-Bretagne » à venir tirer les bisons ! D'autres, comme Orlando Brown, l'homme qui dirige le département des Affaires indiennes, se prononcent pour la constitution de réserves permanentes, terrains de chasse à l'abri des Blancs, sous le contrôle d'agents américains. La troisième voie consiste à traiter directement avec les tribus indiennes, afin qu'elles acceptent de céder des parcelles de territoire. En réalité, les Américains vont, selon la conjoncture, pratiquer l'une ou l'autre de ces trois politiques.

La signature des traités permet de maintenir pendant quelques années une paix précaire

Pour faire cesser les embuscades qui déciment les convois d'immigrants,

En 1883, le général Sherman affirmait que les succès contre les Indiens de l'Ouest tenaient plus au développement des chemins de fer qu'aux efforts de l'armée. Vaincus par le train et le télégraphe, « les derniers cavaliers » en étaient réduits à regarder défiler un peuple « aussi nombreux que les feuilles des arbres ».

les agents gouvernementaux concèdent d'importantes sommes d'argent aux Indiens, qui, en échange, s'engagent à garantir l'accès des pistes. En 1851, à Fort Laramie, les puissantes tribus sioux, cheyenne et arapaho acceptent de faire la paix. Quatre ans plus tard, c'est au tour des Blackfeet de se transformer en une « nation pacifique et agricole ». Les traités autorisent le passage des troupes, la construction de forts et l'installation du télégraphe. De leur côté, les Indiens convertissent les dollars américains en provisions alimentaires. Grâce à ces accords, le calme règne jusqu'en 1862 dans les Grandes Plaines. Quand éclate la guerre de Sécession, nordistes et sudistes courtisent les Indiens pour les entraîner chacun dans leur camp.

Edifié en 1834 par des trafiquants de fourrure, Fort Laramie devint le plus célèbre fort de la Piste de l'Oregon. D'illustres combattants s'y rassemblèrent en 1868 pour mettre fin à la guerre : Spotted Tail, Pawnee Killer, Man-Afraid-of-His-Horse, William Tecumseh, Sherman, Alfred H. Terry, William S. Harney.

Les nouveaux héros

Dans la mythologie américaine de la conquête de l'Ouest, le pionnier tient une place particulière. Comme son ancêtre le puritain, l'homme de l'Ouest est en marche vers la Terre Promise. Il a abandonné la vieille Europe et souhaite fonder une cité neuve et égalitaire. Dans l'Ouest, on ne survit que si l'on est courageux et opiniâtre. La conquête des espaces vierges, la lutte contre une nature hostile et des « sauvages sanguinaires » forgent un homme nouveau. La nature apparaît comme une source de force et de vertu face à une civilisation embrumée dans un Est industriel. L'écrivain américain Thoreau oppose la vitalité de l'Ouest à « l'atonie mortelle de la vie civilisée ». Quant au poète Whitman, avec des accents lyriques, il chante dans ses écrits « l'avance irrésistible des pionniers ». Les intellectuels de l'Est sublimaient des valeurs et glorifiaient des hommes qu'ils méprisaient par ailleurs dans la société urbaine. Au cœur de l'Ouest, l'immigrant, le pauvre, l'ouvrier, se transformaient en héros d'un continent.

La bataille du rail

Jusque dans les années 1850, imaginer qu'un Bostonien pourrait bientôt acheter un billet de chemin de fer pour atteindre la Californie en une semaine paraissait du domaine du rêve. Une dizaine d'années plus tard à la veille de la guerre civile (1861-1865), les premiers pionniers ne s'arrêtent pas dans les Grandes Plaines et l'absence d'arbres laisse croire que l'agriculture est impossible. En 1866, à l'ouest d'Omaha, les premiers kilomètres de plate-forme de l'Union Pacific s'élancent au milieu de la prairie déserte. De ce jour, tout change. Avec la construction du chemin de fer, la civilisation avance à grands pas. En effet, les concessions de terre accordées aux Compagnies de chemin de fer, seize kilomètres de part et d'autre de la voie, et la mise en œuvre de nouvelles techniques agricoles encouragent l'installation des colons.

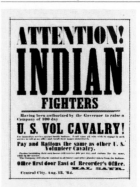

Ils rivalisent en particulier de promesses auprès des « cinq tribus civilisées » de l'Oklahoma. Mais seuls quelques groupes de Cherokees prendront part aux combats.

Tandis que les Américains s'entre-déchirent dans la guerre civile, la colère des Indiens monte

Entièrement mobilisées par le conflit Nord-Sud, les autorités de Washington ne se préoccupent guère de la situation à l'ouest, qui se dégrade dramatiquement. La famine, en effet, fait des ravages parmi les Sioux du Minnesota, auxquels les marchands refusent de livrer de la nourriture. « Qu'ils mangent donc de l'herbe, ou leur propre merde, s'ils ont faim ! » dira même l'un d'eux.

Dix ans de rancœur accumulée vont provoquer une explosion d'une violence inouïe. En 1862, les Sioux santees, conduits par Little Crow, dévastent les fermes, les agences commerciales et les forts. Sept cents Américains sont tués en quelques semaines. La panique s'empare des populations, qui fuient en abandonnant maisons et récoltes.

Le gouverneur demande alors l'aide de l'armée fédérale pour faire face à ce qu'il appelle une guerre nationale. Dorénavant, aucun traité ne sera plus conclu avec les Sioux, « qui doivent être traités comme des bêtes sauvages ». Mille huit cents Sioux sont faits prisonniers, trois cents sont condamnés à la pendaison. Trente-huit « seulement » sont exécutés publiquement à Mankato, malgré la fureur populaire.

La révolte des Santees n'est que la première d'une longue série. Du nord au sud, le Far West s'embrase

Une impitoyable guérilla fait rage en Arizona et au Nouveau-Mexique, où les Apaches refusent, comme leurs voisins les Navajos, de rejoindre une réserve. Une succession de chefs admirables – Mangas

« Maudite soit la race qui nous a pris nos terres et fait de nos guerriers des femmes. De leurs tombes, nos pères nous reprochent d'être devenus des esclaves et des lâches. Je les entends maintenant dans les vents qui hurlent... la grande complainte des morts. Leurs larmes tombent des cieux gémissants. Que la race blanche périsse ! Les Blancs s'emparent de nos terres, ils corrompent nos femmes, ils piétinent les cendres de nos morts ! Qu'ils soient reconduits là d'où ils sont venus, sur une piste de sang ! »
Tecumseh, chef shawnee.

Colorado, Cochise et Géronimo – mènent la vie dure aux soldats du général Crook. Mais au bout de dix ans d'hostilités, les Apaches sont contraints d'abdiquer. « Les Apaches, dira Cochise, ont été un jour une grande nation. Maintenant, il n'en reste que quelques-uns, et c'est pour cela qu'ils souhaitent la mort. »

Dans les Plaines, la guerre est relancée par le massacre de Sand Creek, en novembre 1864, dans le Colorado : plusieurs centaines de miliciens attaquent par surprise un campement cheyenne. « Tuez-les et scalpez-les tous, les petits comme les grands : les larves deviennent des poux ! » ordonne le colonel Chivington. Les six cents Cheyennes, pourtant sous la protection de l'armée, sont exterminés. Dans la décennie 1860-1870, les incidents se multiplient. Le territoire de l'Orégon, dans l'extrême Nord-Ouest, est alors envahi par les colons. Les Modocs qui y vivent voient disparaître leur gibier. Ne pouvant se nourrir, les Indiens se mettent à abattre des vaches ou à dérober de la volaille. Au cours d'une échauffourée entre Blancs et Indiens, le vieux chef modoc est tué.

« Écoutez tous, Dakotas ! Quand le père vénérable à Washington nous a envoyé son chef soldat (W. S. Harney) pour nous demander un passage à travers nos territoires de chasse (...), on nous a dit qu'ils souhaitaient seulement passer à travers nos terres, non pour s'y arrêter, mais pour aller chercher l'or dans l'Ouest lointain. (...) Avant même que les cendres du feu du conseil se fussent refroidies, le père vénérable a fait construire ses forts chez nous. (...) Dakotas, je suis pour la guerre ! »

Red Cloud, chef des Oglalas.

Offrande au soleil

Cette peinture de Catlin représente la cérémonie de l'Okeepa des Indiens mandans, appelée parfois la « danse du soleil ». C'était l'occasion de consacrer les jeunes gens pubères

par une épreuve de virilité. La danse durait quatre jours. Le premier jour, les participants marchent autour de la hutte, imitant en cela le parcours du soleil. Le second jour, les danseurs soufflent dans

des sifflets en os d'aigle,
symbolisant
l'oiseau-tonnerre,
maître de la pluie. Lors
des derniers jours, les
danseurs se font
enfoncer dans la peau
de la poitrine ou du
dos des bâtonnets
auxquels on
attache
des lanières
de cuir

reliées au
poteau central. Les
participants doivent
alors tournoyer jusqu'à
ce que la peau éclate.
Certains se font hisser
par des bâtonnets au
milieu de la loge avec
des crânes de bisons
suspendus aux jambes.

Invitation au tipi

Chez les Indiens, les conventions sociales étaient codifiées précisément. La porte ouverte du tipi

signifiait une invitation à entrer. On se réunissait toujours autour de l'âtre central en prenant soin de ne pas s'interposer entre le feu et l'assemblée.

Convié à un repas, la convenance obligeait à manger tout ce qui était proposé. On gardait le silence sauf si l'hôte ou un « ancien » les invitait à

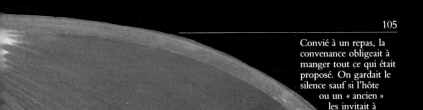

la discussion. La pipe circulait de bouche en bouche. Lorsque le maître de maison la posait sur ses genoux et commençait à la nettoyer, il était temps de prendre congé.

Danser, c'est prier

Porter la dépouille
d'un animal au
cours d'une cérémonie
permet de s'identifier
à lui. On accentue
la ressemblance

en mimant
ses attitudes.
On dialogue avec lui.
Sans cette rencontre
spirituelle, la chasse ne
peut être favorable. La
danse compte autant
que la parole pour
s'adresser aux esprits.

Elle est l'une des
formes favorites
d'expression religieuse.
La musique amplifie la
prière. Les Indiens des
Plaines campent
en cercle, le
village étant

une réplique
de l'univers. Au
centre se trouve un
poteau ou un feu qui
représente l'axe du
monde, le trait d'union
entre la terre et le ciel,
le lien entre les hommes
et le surnaturel.

Le pays des chasses éternelles

Les rites funéraires varient d'une tribu à l'autre. Les Indiens des Plaines laissaient souvent reposer le cadavre dans un arbre ou sur un

échafaud de bois. Ainsi l'âme pouvait-elle s'élever facilement vers le ciel. Les Mandans, une fois le corps décomposé, exposaient le crâne dans un cimetière et la famille s'y rendait pour dialoguer avec le défunt. L'au-delà, « le pays des chasses éternelles » était imaginé comme une réplique du monde vivant où régnait l'abondance et le plaisir, un univers

où n'existaient ni peine ni jugement dernier. L'Indien redoutait les fantômes qui, avant d'atteindre le royaume des morts, effectuaient un long voyage, un parcours symbolisé par la Voie lactée.

Aussitôt, les attaques de convoi, les sabotages de lignes télégraphiques, les assauts contre le chemin de fer transcontinental redoublent. Les Blancs y répondent par des expéditions punitives de plus en plus meurtrières. Au cours du cruel hiver de 1865, les Cheyennes et les Arapahos se mettent à couper les lignes télégraphiques et à attaquer les forts isolés. Sans attendre aucun ordre, l'ingénieur topographe en chef, Grenville Dodge, regroupe ses forces pour ratisser la vallée de la Platte. Quinze jours plus tard, on ne voit plus trace d'Indiens à 150 kilomètres de la ligne de communication.

> « Nous ne voulons pas des chariots qui font du bruit sur les terrains de chasse aux bisons. Si les Visages Pâles s'avancent encore sur nos terres, les scalps de vos frères seront dans les wigwams des Cheyennes... J'ai dit. »
> Roman Nose, chef des Cheyennes du sud

Dégagée de la guerre de Sécession, l'armée américaine lance toutes ses forces dans la guerre des Plaines

En 1865, à la fin de la guerre civile, le général Sherman est résolu à circonscrire le territoire indien dans d'étroites limites et prêt, pour y parvenir, à mener toutes les actions militaires qui s'imposeront. C'est compter sans la résistance acharnée des Sioux, déterminés, eux, à défendre leurs droits sur tout le territoire, des Black Hills à la vallée de la Platte. Les chefs oglalas, Red Cloud et Crazy Horse, appuyés par les Arapahos et les Cheyennes, coupent la piste Bozeman et harcèlent les troupes stationnées dans les forts. Toute sortie se solde par des accrochages, l'insécurité hors du périmètre militaire est totale.

Las de cette guerre d'usure qui lui coûte fort cher, le gouvernement se résout à négocier. Au printemps 1868, le traité de Fort Laramie reconnaît la

souveraineté des Sioux sur les Black Hills et la vallée de la Platte. L'armée accepte de détruire quelques forts... Mais ce qu'ignorent les Indiens, c'est que le traité stipule leur installation sur une réserve.

Quand des prospecteurs décèlent de l'or dans les terrains de chasse de la Big Horn, les aventuriers se précipitent vers le nouvel eldorado. Des heurts ne tardent pas à éclater avec les guerriers sioux, et le gouvernement charge le général Custer de maintenir l'ordre, avec un régiment de cavalerie.

En fait, Custer provoque les Indiens en bafouant ouvertement leurs droits. Sur les conseils de Crazy Horse et de Sitting Bull, Sioux et Cheyennes conjuguent leurs forces et, en juin 1876, anéantissent les cinq compagnies du 7e régiment de cavalerie. Custer et ses deux cent quatre-vingt-cinq soldats sont tués près de la Little Big Horn. Cette victoire indienne ébranle l'opinion publique : une poignée d'Indiens résiste à l'armée américaine ! Custer devient un martyr de la cause de la civilisation.

Devant la profanation de ses collines sacrées, Sitting Bull revendique avec violence son territoire : « Nous ne voulons pas des hommes blancs. Les Black Hills m'appartiennent. »

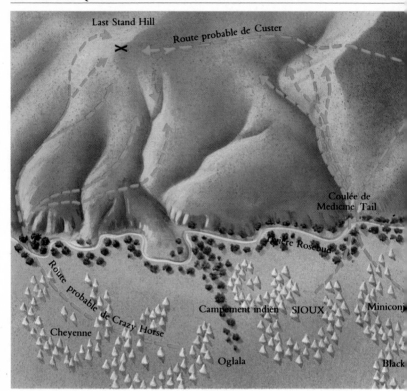

Last Stand Hill
Route probable de Custer
Coulée de Medicine Tail
Rivière Rosebud
Route probable de Crazy Horse
Campement indien   SIOUX   Miniconj
Cheyenne
Oglala
Black

Embarrassé, le gouvernement demande à l'état-major de venger cet affront. Avec plusieurs milliers d'hommes bien armés, le général Crook traque les Sioux sans merci.

Ultime bastion de la résistance, la puissance sioux tombe à son tour

Sitting Bull se réfugie au Canada, Crazy Horse finit par rejoindre une réserve, où il sera abattu. C'est la fin de la campagne des Plaines. Malgré leur courage et leur habileté, les Indiens doivent s'avouer vaincus. Leurs arcs et leurs flèches ne peuvent rivaliser avec les mitrailleuses et les canons américains.

Quelques derniers sursauts de révolte se

Le 25 juin 1876, une brume épaisse recouvre la vallée de la Little Big Horn. Là sont 3 à 4 000 guerriers. Custer, persuadé de son succès, décide de diviser ses troupes. A midi, il ordonne au capitaine Benteen, d'explorer le sud de la vallée. Il charge le commandant Reno, de longer la rivière et de surprendre les Indiens par le sud (en pointillé bleu).

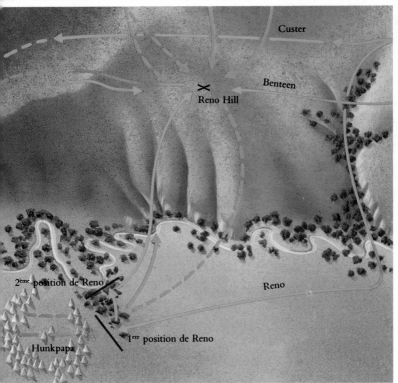

Custer

Benteen

✕
Reno Hill

2ᵉᵐᵉ position de Reno

Reno

1ᵉʳᵉ position de Reno

Hunkpapa

manifestent encore ici ou là, comme dans l'Oregon, où une centaine de Nez-Percés, sous la conduite de leur chef Joseph, tiennent en échec plusieurs régiments jusqu'en 1877.

Aujourd'hui, la guerre des Plaines appartient plus au mythe qu'à l'Histoire. Cinéma et bande dessinée se sont emparés de cet épisode tragique, et le soldat bleu est entré dans la légende aux côtés de Crazy Horse et de Sitting Bull. Une légende qui fait parfois bon marché de la vérité historique. Ainsi met-on volontiers l'accent sur la haine maladive que nourrissaient certains officiers à l'égard des Indiens, comme le général Sheridan, à qui on prête ce mot fameux : « Les seuls Indiens bons que j'aie jamais vus étaient morts. » C'est oublier que beaucoup d'autres militaires respectèrent

A 15 heures, Reno affronte les Sioux. Obligé de reculer à 16 heures, il se replie vers les falaises où il retrouve Benteen. Pendant ce temps, Custer tente de traverser la rivière. Devant l'assaut indien, il gagne les falaises. A 15 h 45, ses soldats se trouvent pris en tenaille par les hommes de Crazy Horse (en pointillé rouge). A 16 h 30, le silence règne sur le champ de bataille.

Ambitieux, vaniteux, courageux, Georges A. Custer devient général à vingt et un ans, en 1865 pendant la guerre civile. Mais la paix revenue, il se retrouve capitaine dans le Kansas. N'ayant de cesse de faire parler de lui, il pense que les guerres indiennes lui offriront une gloire facile. En 1868, il fait massacrer un camp cheyenne sur la Washita. Sa renommée de chef impitoyable le fait haïr des Indiens.

au contraire grandement le courage des guerriers, plus, sans doute, que ne le firent jamais pionniers et miliciens. Quelques-uns même, témoins des scandaleuses humiliations infligées aux Indiens, s'élevèrent contre le sort qui leur était fait. La légende a également beaucoup exagéré les pertes humaines causées par le conflit. On évalue à présent à 4 000 Indiens et 7 000 Américains, soldats et civils, le nombre de disparus dans l'Ouest pendant la guerre des Plaines.

Dans les années 1880, toutes les tribus sont placées dans des réserves sous le contrôle de l'armée

L'idée de créer des réserves est née dès les premiers moments de la Conquête. Il s'agissait alors de protéger les Indiens du « mauvais exemple » ou des persécutions du Blanc. Ainsi, en 1763, les Catawbas de Caroline du Sud se voyaient déjà garantir un vaste territoire, dans lequel aucun colon ne pouvait chasser ou exploiter le sol.

Mais le XIXe siècle pervertit totalement cette philanthropique conception de la réserve. La politique américaine consiste maintenant à installer arbitrairement une ou plusieurs nations sur un espace minimal sans intérêt agricole ou minier.

Immobilisés, les Indiens en sont réduits à attendre vivres et secours du Blanc. Ils sont à la merci des agents chargés du ravitaillement. Corruption, chantage et pillage rendent la situation des « assistés » terriblement précaire.

L'angoisse et la détresse qu'engendrent les réserves sont propices à l'émergence de cultes messianiques

Dès l'instauration des réserves, devins et prophètes se succèdent, avec plus ou moins de succès. L'un d'eux en particulier, Wowoka, un Piaiute, connaît une extraordinaire audience. En 1890, il enseigne que « très bientôt, au printemps prochain, le Grand Esprit viendra. Il ramènera toutes les espèces de gibier. Tous

Dès l'époque coloniale, des esprits philanthropiques estimaient qu'il valait mieux éloigner les Indiens des Européens corrompus. Sur des terres toujours plus à l'ouest, les Indiens continueraient à vivre selon leurs coutumes. Les Indiens cédaient aux Etats-Unis une partie de leur territoire et recevaient en dédommagement d'autres terres ou des subsides en argent et en nourriture. En fait, les Indiens étaient relégués sur des terres arides et recevaient des aliments avariés.

les Indiens morts reviendront et vivront de nouveau ».

De toutes les réserves on accourt pour écouter le « Messie » et participer au culte de la ghost dance. Wowoka prêche en effet que seule la danse permet d'entrer en communication avec les esprits. Il préconise un retour aux anciennes coutumes et se veut pacifiste.

À Wounded Knee Creek, le 29 décembre 1890, les corps des Sioux massacrés par les forces gouvernementales gisent dans la neige du Sud Dakota.

En se développant à travers les Plaines, la doctrine du prophète s'enrichit de nombreuses variantes. Ainsi naît chez les Sioux la croyance dans les « chemises sacrées » : si un guerrier porte, au cours de la danse, une chemise faite à la mode indienne, cette chemise le rendra invulnérable aux balles.

Wounded Knee Creek, ou la dernière page de l'histoire d'un génocide

Cette même année 1890, le président Washington décide d'en finir une fois pour toutes avec le mouvement indien en appréhendant les meneurs. Parmi ces derniers, Sitting Bull, le vieux chef sioux, est tué le 15 décembre, lors de son arrestation. Quelques jours plus tard, c'est l'émeute : lors d'une échauffourée, trois cents Indiens, hommes, femmes et enfants, sont massacrés par les troupes gouvernementales à Wounded Knee Creek.

Wounded Knee marque, symboliquement, la fin de trois siècles de guerres indiennes. La population indienne, qui comprenait quelque 850 000 individus à l'arrivée de Christophe Colomb, n'en comptait même plus 50 000 à l'époque de Wounded Knee. Trois siècles de résistance dont le chef sioux Wanditanka dit en quelques mots la légitimité : « Les hommes blancs essaient sans cesse de faire abandonner aux Indiens leur façon de vivre, pour qu'ils adoptent leurs propres coutumes. Si les Indiens avaient tenté de forcer les Blancs à vivre comme eux, ceux-ci auraient résisté. Il en fut de même pour les Indiens. »

Après l'affront subi par Custer, l'opinion américaine était prête à accepter les pires représailles à l'encontre des Indiens. La Danse des Esprits, un mouvement messianique, agitait les réserves. En décembre 1890, des soldats du septième régiment de cavalerie furent chargés de conduire Big Foot et ses amis à Wounded Knee Creek. Une bousculade, et les soldats ouvrirent le feu, trop contents de l'occasion de se venger enfin des Sioux. Gelés par le blizzard, les corps, dont celui du chef Big Foot (ci-dessous) seront jetés pêle-mêle dans une fosse commune.

Le sénateur de l'Ohio, Hunt, résumait ainsi l'alternative – l'américanisation ou la mort – qui s'offrait à la fin du XIXe siècle aux Indiens survivants :

« Nos villages sont construits sur leurs prairies ; nos télégraphes, nos chemins de fer et nos bureaux de poste sont installés partout dans leur pays ; leurs forêts sont exploitées, leurs prairies labourées, la nature sauvage est domptée. Les Indiens ne peuvent plus chasser ni pêcher. Ils doivent changer leur mode de vie ou disparaître. »

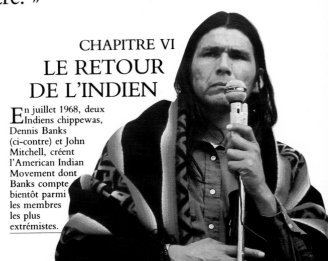

CHAPITRE VI
LE RETOUR
DE L'INDIEN

En juillet 1968, deux Indiens chippewas, Dennis Banks (ci-contre) et John Mitchell, créent l'American Indian Movement dont Banks compte bientôt parmi les membres les plus extrémistes.

Comme l'immigrant polonais, juif ou italien, l'Indien doit, au début de notre siècle, se fondre dans la société américaine. Mais relégué dans sa réserve, écrasé par l'obscurantisme des traditions, comment pourrait-il apprécier les « bienfaits » de l'*american way of life* ? Pour les missionnaires et les associations philanthropiques qui parcourent les réserves à la fin du siècle dernier, la réponse est simple : il faut d'abord en finir avec l'organisation tribale en brisant le système de la propriété collective et en encourageant l'accession à la propriété privée ; il est ensuite indispensable d'entreprendre une vaste campagne de scolarisation.

Le gouvernement américain voit du meilleur œil la mise en œuvre de ce programme : pour lui aussi, le problème indien se réglera en transformant les chasseurs en fermiers. Le sénateur Henry Dawes, ardent partisan de ce mode d'assimilation, fait voter en 1887 le Dawes Allotment Act, qui distribue les terres tribales en parcelles de 160 arpents par famille. Le reste des terres indiennes est confié à l'Etat et mis aux enchères.

En définitive, le Dawes Act est surtout une bonne affaire pour les agriculteurs américains : beaucoup de familles indiennes, se laissant abuser, cèdent leur lot pour une bouchée de pain aux éleveurs blancs. En une cinquantaine d'années, De 1887 à 1934, la propriété indienne, réduite à une peau de chagrin, passe de 56,6 millions d'hectares à 36,4 millions.

Avec cette nouvelle loi, c'est aussi le conseil de tribu, c'est-à-dire la législation interne des tribus indiennes, qui disparaît. L'Indien se retrouve alors soumis au droit américain qui n'a guère de sens pour lui, et contraint, comme tout citoyen, d'envoyer ses enfants à l'école américaine.

Durant ces années noires, la résistance indienne persiste dans l'ombre

Dans les réserves, rites et cérémonies se perpétuent clandestinement. La tradition orale continue à être transmise par les anciens aux plus jeunes.

De nouvelles croyances s'élaborent, comme la « sainte médecine », c'est-à-dire le culte du peyotl. Venu du Mexique, ce cactus hallucinogène représente

Vaincus, les Indiens pouvaient-ils devenir des fermiers ? « Dieu hait les pommes de terre » avait répondu le chef shoshone Washarie à un représentant du gouvernement. Devant la résistance des adultes envers l'agriculture, on pensa aux enfants. A partir des années 1879-1880, les Américains créent des écoles réservées aux jeunes Indiens. Ces écoles sont confiées à des missionnaires ou à des militaires. On est alors persuadé qu'un enseignement diffusé à de très jeunes enfants conduira à une acculturation des individus qui oublieront leurs traditions. Afin d'éviter la pression des familles ou de la tribu, les enfants sont placés dans des internats éloignés des réserves.

La formation prodiguée aux Indiens était essentiellement pratique. « Les Indiens sont doués de leurs mains », constatait un enseignant. Les garçons apprennent le travail du bois, des rudiments d'agriculture, les filles découvrent l'économie domestique et la cuisine américaine. L'absence de débouchés professionnels obligeait les Indiens à regagner leur réserve après quelques années de scolarisation et, au dire d'un directeur d'école, « ils s'empressaient de retrouver une vie d'abruti ».

pour les Indiens un pouvoir qui permet d'entrer en relation avec les puissances surnaturelles, que ce soit l'oiseau-tonnerre ou Jésus-Christ. Car la sainte médecine est fortement imprégnée de christianisme, au point que la consommation du peyotl s'apparente à la communion catholique.

Ce culte, qui enseigne la conciliation et annonce la venue du rédempteur du monde indien, trouve son aboutissement dans la fondation de la Native American Church, en 1918. Unificatrice de toutes les tribus indiennes, cette Église défend l'identité indienne, préfigurant en cela les mouvements qui se développent dans la seconde moitié du XXe siècle.

Malgré une image caricaturée par le cinéma, le sort de l'Indien sensibilise très tôt l'opinion américaine

Buffalo Bill et son spectacle de l'« Ouest sauvage » offrirent au public, jusqu'en 1893, une image de l'Indien grossièrement gauchie. Hollywood prit ensuite le relais. Mais à ces représentations un peu grotesques s'opposèrent très vite des études fort sérieuses de journalistes ou d'ethnologues. En 1881 paraît *Un siècle de déshonneur,* violent réquisitoire de Helen Hunt Jackson contre la politique gouvernementale. L'auteur dénonce les vexations, les injustices et les malversations commises par les agents gouvernementaux. Puis le Bureau of American

Les allocations gouvernementales, versées annuellement, étaient dérisoires. Les agents fédéraux respectaient rigoureusement l'esprit et la lettre d'un traité signé parfois deux siècles auparavant en distribuant quelques couvertures et deux ou trois sacs de farine.

Ethnology, du Smithsonian Institute, met en place une vaste enquête qui débouche sur la publication du *Handbook of American Indian.*

Des ethnologues comme Kroeber, Boas ou Hewitt, donnent des conférences, publient des articles et des essais qui révèlent au public la richesse et la diversité de la culture indienne. En 1911 se constitue la Society of American Indians, dont le but est précisément de préserver cette culture. Cinq ans plus tard, Arthur Parker, un ethnologue indien de la nation des Senecas, fonde *The American Indian Magazine,* dont les articles explorent aussi bien l'histoire lointaine que le présent des Indiens. Avec son ami Hewitt, un Tuscarora, Parker cherche à promouvoir l'insertion de l'Indien dans la société américaine : lui non plus ne voit pas d'autre solution que l'assimilation.

Dans les années trente, les Indiens sont les plus pauvres de tous les citoyens américains

Le mouvement intellectuel en faveur des Indiens se trouve renforcé, en 1928, par la publication d'un

En 1869, le journaliste Ned Buntline découvre dans un fort de l'Ouest, un jeune éclaireur dont il fait dans un récit, *Buffalo Bill,* le symbole de l'homme de l'Ouest. Les lecteurs des villes de l'Est dévorent ses aventures. Le journaliste entraîne Buffalo Bill dans le théâtre. Celui-ci produit, à partir de 1883, un spectacle où alternent rodéos, tirs acrobatiques, dressage de chevaux, combat avec de vrais Indiens et fait le tour de l'Europe avec une centaine d'Indiens et une ménagerie.

rapport de choc : celui de la commission d'enquête Meriam. Les conclusions sont sans appel : quatre ans après leur accession à la citoyenneté, les Indiens demeurent les plus démunis de tous les Américains. Abandonnés sur des terres stériles, dans l'impossibilité de trouver le moindre travail, ils sont condamnés à leur rôle d'éternels assistés des Affaires indiennes. La violence familiale, l'alcoolisme et le taux élevé de suicides attestent l'effondrement psychologique de la communauté. En un mot, le rapport Meriam révèle l'échec total de la politique d'assimilation du Dawes Act.

La grande crise de 1929 fait souffler un vent de réforme sur la société. En 1934, le président Roosevelt et le chargé des Affaires indiennes, John Collier, font voter une loi capitale, l'Indian Reorganization Act. La politique de morcellement des réserves indiennes est enfin interdite, on rétrocède même certains terrains non vendus par le gouvernement, et on facilite l'obtention de prêts pour permettre l'implantation d'industries dans les réserves. On forme des infirmiers, des instituteurs, des éducateurs indiens. On réorganise le conseil tribal et on favorise l'auto-administration au sein même des réserves indiennes. Enfin, Collier tente même de restaurer certaines coutumes par la promotion de l'artisanat et l'autorisation d'organiser des cérémonies traditionnelles.

Les réformateurs sont, certes, pleins de bonne volonté, mais leur objectif reste l'américanisation progressive de la société indienne. L'octroi d'une constitution écrite, du vote majoritaire et d'une administration calquée sur celle des Etats-Unis laisse peu de doutes à ce sujet.

Pourtant, dans les années cinquante, les autorités américaines durcissent leur position sur la politique indienne

Après la Seconde Guerre mondiale (à laquelle participent trente mille Indiens), le gouvernement cherche à se dégager de ses obligations. Les réserves

Au début du XXᵉ siècle, Theodore Roosevelt, le futur président des États-Unis d'Amérique, écrivait : « Personne ne peut comprendre notre pays s'il ne se sent pas en sympathie avec les valeurs et les aspirations de l'Ouest. » Il y passa huit années et relata son expérience dans plusieurs ouvrages, des récits de chasse imprégnés de lyrisme et de romantisme. Il fut beaucoup moins tendre pour les Indiens dans ses quatre volumes consacrés à la « conquête de l'Ouest » et qui connurent un grand succès.

passent sous la juridiction des Etats en 1953, et le Congrès espère en finir au plus vite avec « ces privilèges d'une autre époque » comme il désigne la politique indienne des réserves.

En réalité, le gouvernement veut parvenir à la *termination,* c'est-à-dire à la suppression pure et simple des réserves. Entre 1954 et 1960, soixante et une tribus se voient appliquer la *termination.* Mais manifestations et protestations empêchent l'extension de cette mesure à toutes les autres tribus. Dans les années soixante, en effet, les Indiens bénéficient de la crise morale qui secoue l'Amérique du Nord : ils deviennent une « minorité exploitée », dépositaire de traditions ancestrales, écologistes avant l'heure… Et ces mêmes Indiens qui, quelques années auparavant, étaient synonymes d'immobilisme culturel et de passéisme, deviennent symboles de l'homme vivant en harmonie avec la nature. Une nouvelle génération de militants indiens se forge, qui lit les classiques du marxisme et fréquente les universités américaines.

La force du mouvement noir, les luttes coloniales offrent des exemples dont s'inspirent les Indiens. Les militants radicaux dénoncent la compromission des élus locaux dans les réserves ou la passivité des organisations indiennes. Les jeunes souhaitent entreprendre une lutte réelle contre le gouvernement et non se limiter, comme le fait depuis sa création en 1940 le National Congress of American Indians, à palabrer avec lui.

En 1961, des étudiants indiens instituent le National Indian Youth Council, dont l'objectif est de défendre les tribus les plus pauvres mais également de mettre en valeur la culture indienne tout en exigeant le respect des traités signés. Les membres du NIYC engagent des manifestations spectaculaires comme les *sit in,* retransmis par la télévision. Le recours aux grands vecteurs de communication demeure un moyen privilégié de se faire entendre. Ainsi des auteurs indiens, Robert Burnett, Vine Deloria, brisent-ils le silence qui entoure la condition de la minorité indienne en Amérique. Ils effacent l'image du western et présentent un héritage spirituel et culturel ignoré de l'opinion publique blanche.

Insatisfaits des résultats obtenus, les militants les

Le climat de contestation sociale de la décennie 1960-1970 donne naissance au « pouvoir rouge », qui n'est ni un parti ni une organisation, mais qui symbolise la force du mouvement indien.

Les « premiers Américains », relégués au dernier rang au cours de l'histoire, revendiquent une lutte commune au-delà des divisions sociales. Le graphisme du dessin rappelle que les Indiens ne mettent pas en cause l'unité nationale mais militent pour une Amérique pluriculturelle.

plus durs se regroupent en 1968 dans l'American Indian Movement. Ils choisissent de s'attaquer à des objectifs symboliques : en 1969, ils occupent l'îlot d'Alcatraz afin de marquer le droit à la propriété indienne ; en 1972, ils investissent l'immeuble du Bureau des Affaires indiennes à Washington ; un an plus tard, ils résistent à la police pendant soixante et onze jours sur le site de Wounded Knee. Tous ces faits mobilisent la communauté. L'accord issu du dernier affrontement exalte tout le mouvement et renforce l'influence des leaders.

En 1978, ils organisent une « longue marche » de Californie à Washington, destinée à éveiller l'attention de l'Amérique et du monde sur les nations indiennes qui ont perdu leur souveraineté.

Si, dans les années quatre-vingts, la fièvre de la contestation est retombée, il n'en demeure pas moins que le problème indien est loin d'être résolu. La notoriété acquise à l'étranger freine la politique de suppression des réserves. Enfin, le cosmopolitisme des Etats-Unis de la fin du XXe siècle risque de créer des difficultés à la majorité blanche dont le statut privilégié est déjà menacé dans certains Etats. Les Indiens souhaitent conserver leur identité sans pour cela se détacher de la nation américaine ; ils demandent une autonomie économique et culturelle. Autant d'objectifs qui exigent un changement profond des mentalités.

Plus que jamais aujourd'hui, c'est d'un dialogue sans feinte, de ses issues, que dépendent non seulement l'avenir de la communauté indienne, mais aussi, peut-être surtout, celui de toute la société américaine.

« Nous ne pouvons céder nos droits sans nous détruire en tant que peuple. Si nos droits ne signifient plus rien, s'il est inconcevable que notre société ait conclu des traités avec la société blanche, quoique ces traités aient été signés des deux côtés par des hommes honorables et de bonne foi, bien avant que l'actuel gouvernement décide de les déchirer comme des chiffons de papier sans valeur – en ce cas, en tant que peuple nous ne signifions plus rien. Nous ne pouvons ni ne voulons admettre cela. Nous savons qu'aussi longtemps que nous nous battrons pour nos droits, nous survivrons. Si nous nous rendons, nous sommes morts. »
Harrold Cardinal,
Indien cree

TÉMOIGNAGES
ET DOCUMENTS

Des premiers récits de voyageurs
au bouleversant cri de douleur d'un peuple blessé à mort,
des mémoires du plus grand chef indien
au froid témoignage du pionnier :
l'ancestrale civilisation indienne retrouvée.

Indiens et coureurs de bois

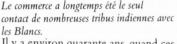

Jean-Bernard Bossu séjourna dans les années 1750 en Louisiane. Il fréquenta les forts de l'Ouest et fut le témoin des pratiques commerciales des coureurs de bois français.

Le commerce a longtemps été le seul contact de nombreuses tribus indiennes avec les Blancs.

Il y a environ quarante ans, quand ces Américains ne connaissaient pas encore les Européens, un voyageur ou coureur des bois pénétra dans leur pays, il leur fit connaître l'usage des armes à feu, il leur vendit des fusils communs avec de la poudre ; ceux-ci firent une chasse très abondante, et eurent par conséquent beaucoup de pelleterie. Un autre coureur des bois y alla quelque temps après avec des munitions, mais comme les Sauvages en étaient encore bien pourvus, ils ne se pressèrent point de traiter avec l'aventurier français, qui s'avisa d'un stratagème assez singulier pour avoir le débit de sa poudre, sans trop s'inquiéter des suites qui pouvaient résulter de son imposture envers ses compatriotes.

Comme les Sauvages sont naturellement curieux, ils étaient impatients de savoir comment la poudre, qu'ils appelaient de la graine, poussait en France. Le coureur des bois leur fit croire qu'on la semait dans les savanes et qu'on en faisait des récoltes comme on fait de l'indigo ou du millet en Amérique.

Les Missouris furent bien contents de cette découverte ; ils ne manquèrent point de semer toutes celles qui leur restaient, ce qui les obligea à acheter celle du voyageur français qui en retira un bénéfice considérable en peaux de castors, de loutres, etc. Ensuite il descendit la rivière jusqu'aux Illinois, que commandait alors M. de Tonti.

Les Missouris allaient de temps en temps dans la savane pour voir si la poudre levait ; ils avaient eu soin de mettre un gardien, pour empêcher que les animaux ne ravageassent le champ de cette prétendue récolte ; mais ils reconnurent bientôt la duplicité du Français. Il est bon d'observer qu'on ne trompe les Sauvages qu'une fois, et qu'ils s'en souviennent ; aussi ceux-ci résolurent-ils de se venger sur le premier de notre nation qui viendrait chez eux. Peu de temps après, l'appât du gain excita notre coureur de bois à y envoyer son associé avec des marchandises assorties et appropriées au commerce avec les Missouris, qui apprirent que ce Français était collègue de celui qui les avait dupés, et envoyé par lui. Néanmoins, ils dissimulèrent le tour que son prédécesseur leur avait joué. Ils lui prêtèrent même la cabane publique qui était au milieu du village, pour qu'il y dépose ses ballots et ses marchandises ; et lorsqu'elles furent étalées, les Missouris y entrèrent en grande confusion, et tous ceux qui avaient eu la naïveté de semer leur poudre emportèrent chacun des marchandises ; de sorte que le pauvre traiteur fut défait de toute sa pacotille, sans aucun retour de la part des Sauvages. Le Français se récria beaucoup contre un pareil procédé ; il s'en plaignit au grand chef de la nation qui lui répondit, d'un air grave, qu'il lui ferait rendre justice mais qu'il fallait, pour se faire, attendre la récolte de la poudre que ses sujets avaient semée sur le conseil de son compatriote, et qu'il pouvait compter, foi de *Souverain*, qu'il ordonnerait après une chasse générale, et que toutes les pelleteries de bêtes fauves qui en proviendrait seraient la récompense pour le secret important que le Français leur avait appris.

Notre voyageur eut beau alléguer pour raison que peut-être la terre des Missouris ne valait rien pour la production de cette poudre, et que ses sujets avaient confondu, que ce n'était qu'en France qu'elle poussait : toutes ces raisons furent inutiles, il s'en retourna fort allégé, et bien confus d'avoir été corrigé par des hommes sauvages.

Cette leçon ne détourna pas d'autres Français de se rendre encore chez les Missouris ; il y en eut un qui se proposa d'y faire un tour de sa manière. Il arma une pirogue qu'il chargea de bagatelles ; instruit de l'aventure précédente, il remplit un baril de cendre et de charbon pilé, au-dessus desquels il mit un peu de poudre. Lorsqu'il fut arrivé, il étala toutes ses babioles dans la grande cabane, dans l'intention de tenter les Missouris de les enlever ; en effet, les Sauvages les pillèrent. Le Français fit beaucoup de bruit, injuria les Sauvages et, courant au baril de poudre qu'il avait préparé, il le défonce, prend un tison allumé, et crie : « J'ai perdu l'esprit, je vais faire sauter la cabane, vous viendrez avec moi au pays des esprits. » Les Sauvages effrayés ne savaient que faire ; les Français qui étaient hors de la cabane, criaient que leur frère avait perdu l'esprit et qu'il ne le retrouverait que quand on lui aurait rendu ou payé ses marchandises. Les chefs haranguèrent par le village pour y exhorter les habitants ; ceux qui avaient des parents dans cette cabane se joignirent à eux ; le peuple fut ému, chacun apporta dans la cabane tout ce qu'il avait de pelleterie. Alors le Français dit que l'esprit lui était revenu. Le chef lui présenta le calumet, il fuma, et versa de l'eau sur la poudre pour montrer qu'elle ne servirait plus, et en réalité pour cacher sa fraude aux Sauvages. Il en emporta pour près de mille écus en bonne pelleterie. Les Sauvages l'ont beaucoup considéré depuis ce temps, en lui donnant le nom de *vrai homme* ou *homme de valeur.*

J. B. Bossu,
Nouveaux Voyages en Louisiane, 1768

Les Indiens vus par les Blancs

Les lettres écrites par les jésuites au XVIIᵉ siècle constituent une source inépuisable de réflexion puisqu'ils furent présents au cœur de la société indienne avant qu'elle ne soit bouleversée par l'acculturation.

Dans une langue riche et précise, les Jésuites rapportent récits mythologiques et croyances religieuses.

Sur le soir la libéralité d'un officier nous procura un de ces spectacles militaires sauvages, que bien des personnes admirèrent, comme étant capables de faire naître dans les cœurs des plus lâches cette ardeur martiale qui fait les véritables guerriers ; (...)

Je parle d'un festin de guerre. Figurez-vous une grande assemblée de Sauvages parés de tous les ornements les plus capables de défigurer une physionomie à des yeux européens. Le vermillon, le blanc, le vert, le jaune, le noir fait avec de la suie ou de la raclure de marmites ; un seul visage sauvage réunit toutes ces différentes couleurs méthodiquement appliquées, à l'aide d'un peu de suif qui sert de pommade. Voilà le fard qui se met en œuvre dans ces occasions d'apparat, pour embellir non seulement le visage, mais encore la tête, presque tout à fait rasée, à un petit flocon de cheveux près, réservé sur le sommet pour y attacher des plumes d'oiseaux ou quelques morceaux de porcelaine, ou quelque autre semblable colifichet. Chaque partie de la tête a ses ornements marqués : le nez a son pendant. Il y en a aussi pour les oreilles, qui sont fendues dès le bas âge, et tellement allongées par les poids dont elles ont été surchargées, qu'elles viennent flotter et battre sur les épaules. Le reste de l'équipement répond à cette bizarre décoration. Une chemise barbouillée de vermillon, des colliers de porcelaine, des bracelets d'argent, un grand couteau suspendu sur la poitrine, une ceinture de couleurs variées mais toujours burlesquement assorties, des souliers de peau d'orignal ; voilà quel est l'accoutrement sauvage. (...)

Figurez-vous donc une assemblée de gens ainsi parés et rangés en haie. Au milieu sont placées de grandes chaudières remplies de viandes cuites et coupées par morceaux, pour être plus en état d'être distribuées aux spectateurs. Après un respectueux silence, qui annonce la majesté de l'assemblée, quelques capitaines députés par les différentes nations qui assistent à la fête, se mettent à chanter successivement. Vous vous persuaderez sans peine ce que peut être cette musique sauvage, en comparaison de la délicatesse et du goût de l'européenne. Ce sont des sons formés, je dirai presque au hasard, et qui quelquefois ressemblent pas mal à des cris et à des hurlements de loups. Ce n'est pas là l'ouverture de la séance, ce n'en est que l'annonce et le prélude, pour inviter les Sauvages dispersés à se porter au rendez-vous général. L'assemblée une fois formée, l'orateur de la nation prend la parole, et harangue solennellement les conviés. C'est l'acte le plus raisonnable de la cérémonie. Le panégyrique du Roi, l'éloge de la nation française, les raisons qui prouvent la légitimité de la guerre, les motifs de gloire et de religion, tous propres à inviter les jeunes gens à marcher avec joie au combat : voilà le fond de ces sortes de discours, qui, pour l'ordinaire, ne se ressentent point de la barbarie sauvage ; j'en ai entendu plus d'une fois qui n'auraient pas été désavoués par nos plus beaux esprits de France. Une éloquence puisée toute dans la nature n'y faisait pas regretter le secours de l'art.

La harangue finie, on procède à la nomination des capitaines qui doivent commander dans le parti. Dès que quelqu'un est nommé, il se lève de sa place et vient se saisir de la tête d'un des animaux qui doivent faire le fond du destin. Il l'élève assez haut pour être aperçu de toute l'assemblée, en criant : « *Voilà la tête de l'ennemi* ». (...)

A mesure qu'il passe en revue devant les Sauvages, ceux-ci répondent à ces chants par des cris sourds, entrecoupés et tirés du fond de l'estomac, et accompagnés de mouvements de corps si plaisants qu'il faut y être fait pour les voir de sang-froid. Dans le cours de la chanson il a soin d'insérer de temps en temps quelque plaisanterie grotesque. Il s'arrête alors comme pour s'applaudir, ou plutôt pour recevoir les applaudissements sauvages que mille cris confus font retentir à ses oreilles. Il prolonge sa promenade guerrière aussi longtemps que le jeu lui plaît ; cesse-t-il de lui plaire, il la termine en jetant avec dédain la tête qu'il avait entre les mains, pour désigner par ce mépris affecté, que c'est une viande de toute autre espèce qu'il lui faut pour contenter son appétit militaire. Il vient ensuite reprendre sa place, où il n'est pas plutôt assis, qu'on lui coiffe quelquefois la tête d'une marmite de cendres chaudes ; mais ce sont là de ces traits d'amitié, de ces marques de tendresse qui ne se souffrent que de la part d'un ami bien déclaré et bien reconnu : une pareille familiarité d'un homme ordinaire serait censée une insulte. A ce premier guerrier en succèdent d'autres qui font traîner en longueur la séance, surtout quand il s'agit de former de gros partis, parce que c'est dans ces sortes de cérémonies que se font les enrôlements. Enfin la fête s'achève par la distribution et la consommation des viandes.

Tel fut le festin militaire donné à nos Sauvages. (...)

Relations des Jésuites, 1768

Enlevée par les Indiens

Capturée en 1755 en Pennsylvanie à l'âge de douze ans par les Indiens shawnees, Mary Jemison fut adoptée par une famille de Senecas avec qui elle vécut jusqu'à sa mort en 1833.

Mary Jemison avait 80 ans lorsqu'elle confia ses souvenirs, en 1823, à James E. Seaver. Le livre paraît un an plus tard et Mary en connaîtra le succès.

A la nuit, nous arrivâmes à une petite ville indienne seneca, à l'embouchure de la petite rivière que les Indiens appelaient, dans la langue seneca, Shenan-jee ; les deux squaws auxquelles j'appartenais y avaient leur résidence. On les débarqua, et les Indiens repartirent, c'est la dernière fois que je les vis.

Arrivées rapidement au rivage, les squaws me laissèrent dans le canoë, tandis qu'elles allaient à leur wigwam ou maison dans la ville ; elles revinrent avec un vêtement indien tout neuf, joli et propre. Mes vêtements, neufs et en bon état lors de mon enlèvement, étaient maintenant en lambeaux, et j'étais presque nue. Elles commencèrent par me déshabiller et jetèrent mes guenilles dans la rivière ; elles me lavèrent et me revêtirent de l'habit neuf du plus pur style indien qu'elles venaient d'apporter ; puis elles m'emmenèrent chez elles et me firent asseoir au milieu de leur wigwam.

A peine étais-je installée que toutes les squaws de la ville vinrent me voir. Je fus bientôt entourée, et elles se mirent à pousser des hurlements sinistres, pleurant amèrement un parent décédé, se tordant les mains dans de violents accès de douleur. (...)

Au cours de cette cérémonie, elles passèrent de l'affliction à la sérénité ; la joie brillait sur leurs visages et elles semblèrent se réjouir de ma présence comme d'une enfant longtemps perdue. J'étais accueillie parmi elles comme une sœur des deux squaws dont j'ai déjà parlé et fus appelée Dickewamis, un nom qui signifie jolie fille, agréable. Ce serait désormais mon nom indien.

J'appris plus tard que cette cérémonie par laquelle j'étais passée était celle de l'adoption. L'année précédente, les deux squaws avaient perdu un frère durant la guerre de Washington ; en conséquence de cette mort elles s'étaient rendues à Fort Pitt le jour où j'y étais arrivée, pour y recevoir soit un prisonnier soit le scalp d'un ennemi qui compenserait cette perte.

La coutume indienne veut que lorsque, durant un combat, l'un d'entre eux est tué ou emmené prisonnier, on donne au parent le plus proche du mort ou de l'absent, soit un prisonnier (si on a la chance d'en prendre un) soit le scalp d'un ennemi. Lorsque les Indiens reviennent d'une expédition (celle-ci est toujours annoncée par des clameurs particulières, des démonstrations de joie et l'exhibition de quelque trophée de victoire), les pleureuses se présentent en tête du cortège et formulent leurs prétentions. Ceux qui reçoivent un prisonnier ont la possibilité de choisir, soit de satisfaire leur vengeance en lui prenant la vie de la manière la plus cruelle qu'ils puissent concevoir, soit de le recevoir et de l'adopter au sein de la famille à la place de celui qu'ils ont perdu. Tous les prisonniers capturés au cours d'une bataille et emmenés par les Indiens au campement ou à la ville sont ainsi donnés aux familles ayant subi un deuil, jusqu'à ce que le nombre des disparus soit compensé. En général les pleureuses sauvent le prisonnier qu'elles reçoivent et le traitent avec bonté, à moins qu'elles n'aient tout juste appris la nouvelle de leur deuil et soient sous le coup d'une douleur, d'une colère et d'un désir de vengeance à son paroxysme, à moins encore que le prisonnier ne soit très vieux, malade, sans attrait. (...)

J'eus la chance d'être acceptée et adoptée et d'être, au moment de la cérémonie, reçue par les deux squaws pour remplacer leur frère au sein de la famille ; je fus dès lors considérée et traitée par elles comme une véritable sœur, de la même façon que si j'étais née de leur mère.

Durant cette cérémonie, l'aspect et les gestes de la compagnie me terrifièrent et je demeurai immobile, m'attendant à tout instant à subir sur place leur vengeance et souffrir la mort ; je fus cependant heureusement surprise lorsque, à la fin de la cérémonie la compagnie se retira et que mes sœurs usèrent de tous les moyens en leur pouvoir pour me consoler et me réconforter.

Désormais installée et pourvue d'un foyer, je m'occupai des enfants et de menus travaux ménagers. De temps en temps, lorsque la chasse ne les entraînait pas trop loin, les Indiens m'emmenaient avec eux pour les aider à transporter leur butin. J'avais une vie facile et sans problèmes. Mais le souvenir de mes parents, de mes frères et sœurs, de ma maison et ma propre captivité nuisaient cependant encore à mon bonheur, et me rendaient constamment taciturne, sombre et esseulée.

Mes sœurs ne m'auraient pas permis de parler anglais en leur présence ; mais me souvenant du conseil donné par ma chère mère, au moment où je la quittai, je me faisais un devoir, lorsque j'avais la chance d'être seule, de répéter mes prières, mon catéchisme ou quelque autre chose que je savais par cœur pour ne pas oublier ma propre langue.

Mary Jemison,
Récit de la vie de Mary Jemison, enlevée par les Indiens en 1755 à l'âge de 12 ans.

Les Blancs vus par les Indiens

L'Indien écoute le missionnaire, mais le missionnaire écoute-t-il l'Indien qui lance un message de tolérance et de respect pour la culture de l'autre ? Bien peu de Blancs entendent ce discours lorsque le missionnaire le rapporte en 1850.

En 1843, le père Chazelles rencontre sur l'île de Manitouline (Canada), des Indiens assemblés lors d'une tractation commerciale avec des Blancs.

Tu arrives, mon frère, pensant que tu nous enseigneras la Sagesse. Mais ne crois pas que les sauvages soient des fous. Ils possèdent les connaissances dont ils ont besoin. Le Grand Esprit ne les a pas laissés dans l'ignorance : il leur a fait de grands dons ; il leur a accordé la Sagesse.

Mon frère, il n'est pas loin d'ici le Grand Esprit, il est ici ; il nous voit tous ; il nous voit assemblés dans ce lieu ; il voit au-dessus de nous-mêmes ; il entend ce que nous disons. Je sais le voir moi *homme* (sauvage) et je conserve soigneusement les coutumes que je tiens de mon ancien (le premier sauvage) pour me souvenir de lui et pour obtenir ses bénédictions.

Mon frère, le Grand Esprit a créé toutes choses ; il a créé le ciel qui est en haut et la terre sur laquelle nous habitons ; il a créé tout ce qui est grand et tout ce qui est petit.

Lorsqu'il créa la terre pour qu'elle fût la demeure de tous les hommes, il fit deux grands pays et les sépara par la grande eau. De ce côté où le soleil se lève il y a une grande île. Celui qui a fait tout a fait cela. Or dans la grande île, vers le soleil levant, ton ancien à toi, homme à la peau blanche, fut jeté par le Grand Esprit, et ici, mon ancien à moi, homme à la peau rouge, fut jeté par le Grand Esprit.

Mon frère, nous ne nous ressemblons point ; notre sang n'est pas le même et nos langages aussi ne se ressemblent aucunement. Il y a encore des hommes qui ne ressemblent ni à toi, ni à moi : les hommes qui ont la peau noire. Qui est-ce qui a établi ces différences ? Le Grand Esprit les a établies dès le commencement, lui qui a fait toutes choses, selon sa volonté. Tu le vois bien par conséquent, il faut que nous ayons aussi chacun notre manière de penser au Grand Esprit et de lui parler ; il y a différentes manières de chercher le jour (le ciel). (...)

Mon frère, tu as peut-être eu cette pensée : ils sont bien bêtes : ils ne connaissent que ce qu'ils voient ouvrant les yeux ; ils marchent sans intelligence. Je te le dis, tu pourrais te tromper grandement. (...)

Ce n'est pas dans les livres, mon frère, que j'ai appris ce que je sais. Le Grand Esprit a enseigné mon ancien et mon ancien m'a parlé de ce que le Grand Esprit lui avait dit. Je suis heureux d'avoir eu ces renseignements. Je les conserve dans mon cœur, et jamais je n'y renoncerai.

Mon frère, je ne suis peut-être pas si ignorant que tu penses des choses que tu vas enseignant partout. Le Grand Esprit avait établi l'ordre dans ton île comme dans la mienne. Il avait fait de grands dons à ton ancien. Mais tu n'as pas su profiter de ces avantages précieux et tu as rejeté les bénédictions de ton ancien. C'est pour cela sans doute que le Grand Esprit a envoyé son fils à l'homme blanc ; mais l'homme blanc l'a chassé.

D'ailleurs, mon frère, il y a longtemps que ce qu'on raconte du fils du Grand Esprit est arrivé dans ton île. Or si sa volonté eût été de nous instruire, nous aurait-il laissé dans l'ignorance et dans le malheur, nous, qui ne l'avons jamais vu et qui ne lui avons jamais fait aucun mal ?

L'homme à chapeau est sorti de son île ; il a traversé la grande eau, il est arrivé sur notre terre ; il a parcouru nos forêts et nos lacs, et il nous a poursuivis partout pour nous enlever ce qui nous appartenait. Et voici qu'aujourd'hui sa race s'est multipliée dans notre grande île et qu'elle y a établi ses coutumes. Mais nous... nous sommes devenus fugitifs, misérables et presque anéantis.

Le sauvage autrefois ne connaissait pas l'ivresse ; c'est toi, homme à chapeau, qui m'as versé l'eau de feu.

Ainsi l'homme qui habite au-delà de la grande eau n'est pas venu chez nous pour nous apporter des bénédictions, mais des malheurs. Comment pourrions-nous donc croire les choses qu'il vient nous annoncer ?

Dis-moi, mon frère, si j'allais, moi, dans ton île, parler contre la prière et chercher à faire recevoir mes pratiques, est-ce que tu m'écouterais ? Laisse-moi donc les bénédictions de mon ancien, je les aime et je n'en veux pas les abandonner. (...)

Tu vois donc bien clairement, mon frère, que nous ne voulons pas prendre la prière et qu'en restant parmi nous, tu ne pourrais jamais obtenir ce que tu désires. Sans doute tu renonceras à ton projet.

Lorenzo Cadieux,
Lettres des nouvelles missions du Canada,
1843-1852

Semblable au tipi des Plaines, le wigwam conique, en écorce de bouleau ou en peau.

Les travaux et les jours

Au XIXᵉ siècle, la vie quotidienne des Indiens du Canada, tout comme celle de leurs voisins des Plaines, est la même qu'ils ont eue de tout temps : techniques de chasse et de pêche, fabrication des tipis et des wigwams, manière de préparer les aliments, de connaître les plantes comestibles et médicinales.

Les Indiens nootkas utilisaient une foëne, harpon barbelé à son extrémité, pour pêcher le saumon.

Certains Indiens du Canada chassaient le gros gibier – orignal, ours, caribou, chevreuil – à la lance, l'arc étant réservé au petit gibier.

L es Indiens de la côte Nord-Ouest faisaient la cueillette de baies et de racines.

L es Blackfeet conservaient la viande, séchée, dans des sacs en cuir ou en écorce.

P our attirer le gibier à portée de leur arc ou de leur lance, les Indiens des forêts de l'Est se servaient de pièges au fumet de castor ou de rat musqué.

Le wigwam chippewyan était fait d'écorce de bouleau sur une armature de jonc et pouvait être facilement transporté à l'occasion des migrations saisonnières.

L es habitations des Indiens sarsis des Plaines vivant au nord du territoire étaient plus modestes, à cause de la rareté des chevaux susceptibles de transporter les perches.

L e tipi de l'Indien piegan des Plaines était spacieux et bien équipé. Un tapis de sol, en peau d'animal, se prolongeait jusqu'à mi-mur.

La parole des chefs

La puissance du verbe fascine les Indiens. Leur langue est portée par la force d'une nature omniprésente, les mots sont ciselés par le vent, les phrases s'imprègnent de l'odeur de la forêt. De leur rencontre avec les Blancs, les chefs ont laissé des discours inoubliables où se lit la grandeur de tout un peuple et l'inquiétude d'un avenir incertain.

Hehaka Sapa, Black Elk, parent de Crazy Horse, appartenait aux Oglalas, branche des Tétons dakotas, l'une des plus puissantes de la famille des Sioux. Il avait été instruit dans sa jeunesse des traditions sacrées de son peuple par les grands prêtres.

Vous avez remarqué que toute chose faite par un Indien est dans un cercle, il en est ainsi parce que le pouvoir de l'Univers agit selon des cercles et que toute chose tend à être ronde. Dans l'ancien temps, lorsque nous étions un peuple fort et heureux, tout notre pouvoir nous venait du cercle sacré de la nation, et tant qu'il ne fut pas brisé, notre peuple a prospéré. L'arbre florissant était le centre vivant du cercle et le cercle des quatre quartiers le nourrissait. L'est donnait la paix et la lumière, le sud donnait la chaleur, l'ouest donnait la pluie et le nord, par ses vents froids et puissants, donnait force et endurance. Cette connaissance nous vint de l'outre-monde avec notre religion. Tout ce que fait le pouvoir de

l'Univers se fait dans un cercle. Le Ciel est rond et j'ai entendu dire que la terre est ronde comme une balle et que toutes les étoiles le sont aussi. Le vent, au sommet de sa fureur, tourbillonne. Les oiseaux font leur nid en cercle parce qu'ils ont la même religion que nous. Le soleil s'élève et redescend dans un cercle. La lune fait de même et tous deux sont ronds.

Même les saisons forment un grand cercle dans leurs changements et reviennent toujours où elles étaient. La vie de l'homme est dans un cercle de l'enfance jusqu'à l'enfance et ainsi en est-il pour chaque chose où le pouvoir se meut. Nos tipis étaient ronds comme les nids des oiseaux et toujours disposés en cercle, le cercle de la nation, le nid de nombreux nids où le Grand Esprit nous destinait à couver nos enfants.

Khe-tha-a-hi, Eagle Wing, rend hommage au souvenir que l'Indien a laissé derrière lui.

Mes frères les Indiens laisseront à jamais leur souvenir dans ce pays. Nous avons donné beaucoup de noms de notre langue à beaucoup de belles choses qui parleront toujours de nous. Le Minnehaha rira de nous, le Seneca brillera à notre image, le Mississippi murmurera nos peines. Le large Iowa, le rapide Dakota, le fertile Michigan chuchoteront nos noms au soleil qui les caresse. Le grondement du Niagara, le soupir de l'Illinois et le chant du Delaware feront résonner sans cesse notre Dta-wa-e [chant de la mort]. Se peut-il que vous entendiez ce chant éternel sans être émus ? Nous n'avons commis qu'un seul péché : nous étions en possession de ce que l'homme blanc convoitait. Nous sommes partis vers le soleil couchant, abandonnant nos demeures à l'homme blanc.

Mes frères, les légendes de mon peuple racontent comment un chef, conduisant les survivants de son peuple, traversa une grande rivière et piqua en terre le mât de son tipi en s'exclamant : « A-la-ba-ma ! » Ce qui dans notre langue signifie : « Ici nous pouvons prendre du repos ! » Mais il n'avait pas vu l'avenir. L'homme blanc est venu : lui et son peuple ne pouvaient rester là, ils furent chassés, poussés dans la boue d'un sombre marécage et massacrés. Le mot qu'il avait prononcé si tristement a donné le nom à un des Etats de l'homme blanc. Il n'est pas un coin sous ces étoiles pour nous sourire, où l'Indien puisse s'implanter et soupirer « A-la-ba-ma ». Il se peut que Wakanda nous accorde une telle place. Mais il semble que ce ne sera qu'à son côté.

Crowfoot, porte-parole de la confédération des Blackfeet (Pieds-Noirs), céda 50 000 miles carrrés de prairies au gouvernement canadien en 1877. Ce traité amena la disparition des bisons et la famine chez les Blackfeet.

Qu'est-ce que la vie ? C'est l'éclat d'une luciole dans la nuit. C'est le souffle d'un bison en hiver. C'est la petite ombre qui court dans l'herbe et se perd au couchant.

Proverbe winnebago

Notre Sainte Mère la Terre, les arbres et toute la nature sont les témoins de vos pensées et de vos actions.

Chef indien au gouverneur de Pennsylvanie en 1976 :

Nous aimons la tranquillité ; nous laissons la souris jouer en paix ; quand les bois frémissent sous le vent, nous n'avons pas peur.

Ecole indienne omaha du Nebraska à la fin du siècle dernier.

*Le chef **Standing Bear** fut l'un des premiers à s'inscrire à l'école indienne de Carlisle (Pennsylvanie), ouverte en 1879. Il fut instituteur, interprète et conférencier. Ses récits parlent des Lakotas, nom tribal des Tétons.*

Le Lakota était empli de compassion et d'amour pour la nature. Il aimait la terre et toutes les choses de la terre, et son attachement grandissait avec l'âge. Les vieillards étaient — littéralement — épris du sol et ne s'asseyaient ni ne se reposaient à même la terre sans le sentiment de s'approcher des forces maternelles. La terre était douce sous la peau et ils aimaient à ôter leurs mocassins et à marcher pieds nus sur la terre sacrée. Leurs tipis s'élevaient sur cette terre dont leurs autels étaient faits. L'oiseau qui volait dans les airs venait s'y reposer et la terre portait, sans défaillance, tout ce qui vivait et poussait. Le sol apaisait, fortifiait, lavait et guérissait.

C'est pourquoi les vieux Indiens se tenaient à même le sol plutôt que de rester séparés des forces de vie. S'asseoir ou s'allonger ainsi leur permettait de penser plus profondément, de sentir plus vivement ; ils contemplaient alors avec une plus grande clarté les mystères de la vie et ils se sentaient plus proches de toutes les forces vivantes qui les entouraient.

Ces relations qu'ils entretenaient avec tous les êtres sur la terre, dans le ciel ou au fond des rivières, étaient un des traits de leur existence. Ils avaient un sentiment de fraternité envers le monde des oiseaux et des animaux qui leur gardaient leur confiance. La familiarité était si étroite entre certains Lakotas et leurs amis à plume ou à fourrure que, tels des frères, ils parlaient le même langage.

***Mato-Kuwapi, Chased-by-Bears**, un Santee yanktonai, évoque la danse du soleil et l'idée de Wakan Tanka chez les Indiens. Au cours de cette danse, il entaillait le corps ou les membres des participants et y enfonçait des chevilles de bois auxquelles étaient fixées des* *longes reliées au poteau central de la danse du soleil.*

La danse du soleil est si sacrée pour nous que nous n'en parlons guère... La lacération des corps pour acquitter les vœux de la danse du soleil est différente de la lacération de la chair chez les gens dans le deuil. Le corps d'un homme est son bien et quand il donne son corps ou sa chair, il s'agit du don de la seule chose qui lui appartienne vraiment... Ainsi, si un homme promet un cheval à Wakan Tanka, il ne lui donne que ce qui appartient déjà. Je puis donner du tabac ou d'autres objets au cours d'une danse du soleil, mais si je garde le meilleur, qui pourra croire que je suis sincère ? Pour montrer que mon être tout entier accompagne ces menus présents, je dois donner quelque chose qui m'est précieux. Pour cela je promets de donner mon corps.

L'enfant croit que seule l'action d'une personne malveillante peut être cause de douleur, mais dans la danse du soleil nous reconnaissons d'abord la bonté de Wakan Tanka et nous supportons la douleur à cause de ce qu'il a fait pour nous. Jusqu'à ce jour je ne me suis jamais joint à aucune Église chrétienne. Ma vieille croyance, celle que j'ai toujours gardée, est encore avec moi.

Quand un homme accomplit un travail que tous admirent, nous disons que c'est merveilleux. Mais quand nous voyons l'alternance du jour et de la nuit, le soleil, la lune, et les étoiles dans le ciel, et la suite des saisons sur la terre, avec les fruits qui mûrissent, nous devons tous y reconnaître l'œuvre d'un plus puissant que l'homme. Le plus grand de tous est le soleil sans lequel nous ne pourrions vivre.

Nous nous adressons à Wakan Tanka et sommes sûrs qu'il nous entend, et pourtant il est difficile d'expliquer l'étendue de notre croyance. L'Indien croit en général qu'après la mort d'un homme, son esprit va quelque part sur la terre ou dans le ciel, nous ne savons exactement où, mais nous sommes sûrs que son esprit continue à vivre. Il y a eu des gens pour convenir ensemble qu'au cas où il serait possible à des esprits de parler à des hommes, ils se feraient reconnaître de leurs amis après leur mort, mais ils ne sont toujours pas venus nous parler, sauf, peut-être, dans nos rêves. Ainsi en est-il de Wakan Tanka. Nous croyons qu'il est partout, mais il est pour nous comme les esprits de nos amis dont nous ne pouvons entendre la voix.

Crazy Horse, *chef sioux oglala, était un mystique. Au printemps qui suivit l'anéantissement des troupes de Custer, il fut contraint par le général Miles de se rendre à Bighorn Mountains. Mis aux arrêts en 1877, il trouva la mort en tentant une évasion.*

Hommes blancs ! On ne vous a pas demandé de venir ici. Le Grand Esprit nous a donné ce pays pour y vivre. Vous aviez le vôtre. Nous ne vous gênions nullement. Le Grand Esprit nous a donné une vaste terre pour y vivre, et des bisons, des daims, des antilopes et autres gibiers. Mais vous êtes venus et vous m'avez volé ma terre ; vous tuez mon gibier ; il devient alors dur pour nous de vivre. Maintenant, vous nous dites que pour vivre il nous faut travailler ; or le Grand Esprit ne nous a pas faits pour travailler, mais pour vivre de la chasse.

Vous autres, hommes blancs, vous pouvez travailler si vous le voulez. Nous ne vous gênons nullement ; mais à nouveau vous nous dites : pourquoi ne devenez-vous pas civilisés ? Nous ne voulons pas de votre civilisation ! Nous voulons vivre comme le faisaient nos pères, et leurs pères avant eux.

Pachgantschilhilas, né dans la première moitié du dix-huitième siècle, devint le chef de guerre de tous les Delawares résidant entre les rivières Miami et White dans le nord-est des États-Unis.

J'admets qu'il y a de bons hommes blancs, mais leur nombre est sans comparaison avec celui des mauvais qui doivent être les plus forts puisqu'ils dominent. Il font ce qui leur plaît. Ils asservissent ceux qui ne sont pas de leur couleur, bien qu'ils aient été créés par le même Grand Esprit que nous. Ils feraient de nous des esclaves s'ils le pouvaient. Comme ils n'y parviennent pas, ils nous tuent ! Aucune foi ne peut être accordée à leur parole. Ils ne sont pas comme les Indiens qui, ennemis pendant la guerre seulement, sont amis en temps de paix. Ils diront à l'Indien : « Mon ami, mon frère ! ». Ils lui prendront la main et, au même instant, le détruiront.

Tecumseh, Shooting Star, chef de guerre shawnee, organisa la seconde grande fédération indienne et fut fait brigadier général de l'armée anglaise durant la guerre de 1812. Aux termes d'un traité passé à Fort Wayne en 1809, les Indiens cédèrent de vastes terres au gouvernement américain, à son insu. En 1810, il rencontra le gouverneur du territoire de l'Indiana, qui avait représenté les États-Unis lors du traité de 1809. Tecumseh nia la validité de l'acquisition de la terre.

La manière, la seule manière d'enrayer et d'arrêter cette calamité, c'est que tous les hommes rouges s'unissent pour revendiquer un droit commun et égal sur cette terre, comme par le passé, et ainsi qu'il devrait en être aujourd'hui ;

parce que jamais elle ne fut divisée dans le passé et qu'elle appartient à tous pour l'usage de chacun. Personne n'a le droit d'en vendre la moindre parcelle, pas même à tel ou tel d'entre nous et encore moins à ces étrangers, qui veulent tout et ne transigeront jamais. Les Blancs n'ont aucun droit sur la terre des Indiens : ils l'habitaient les premiers, c'est leur terre... Il ne peut y avoir deux occupants pour un même territoire. Le premier exclut tous les autres. Il n'en est pas de même lorsqu'on chasse ou qu'on voyage, puisqu'un même sol peut servir à beaucoup... Mais le campement est fixe... il appartient de droit au premier qui s'assied sur la couverture ou sur la peau qu'il a déployée sur le sol et cela, jusqu'à ce qu'il le quitte.

Le conseil de Sitting Bull à Fort Walsh, territoire b

Sitting Bull s'est rendu à Fort Buford, au Canada, en 1811, « sous promesse d'amnistie », et fut plus tard envoyé à l'agence de Standing Rock où vivait la presque totalité de son peuple.

Quel traité le Blanc a-t-il respecté que l'homme rouge ait rompu ? Aucun. Quel traité l'homme blanc a-t-il jamais passé avec nous et respecté après ? Aucun. Quand j'étais enfant, les Sioux étaient maîtres du monde ; le soleil se levait et se couchait sur leurs terres. Ils menaient dix mille hommes au combat. Où sont les guerriers aujourd'hui ? Qui les a exterminés ? Où sont nos terres ? Qui les pille ? Quel homme blanc peut dire que je lui ai volé sa terre ou un seul de ses sous ? Pourtant, ils disent que je suis un voleur.

1877.

En août 1877, Geronimo et sa bande se sont rendus pour la dernière fois ; ils furent déportés en captivité et finalement installés dans une réserve à Fort Sill dans l'Oklahoma. C'est de là que Geronimo demanda au président l'autorisation de retourner dans son pays d'origine avant de mourir.

Pendant vingt années nous avons été retenus prisonniers aux termes d'un traité passé avec le général Miles pour le gouvernement des États-Unis et moi-même comme représentant des Apaches. Ce traité n'a pas toujours été scrupuleusement observé par le gouvernement, même si en ce moment ce dernier s'y conforme davantage. Dans le traité avec le général Miles, nous avions accepté d'aller dans un endroit en dehors de l'Arizona et d'apprendre à vivre comme le font les hommes blancs. Je pense que mon peuple est maintenant capable de vivre en accord avec les lois des États-Unis, et, bien sûr, nous aimerions avoir la liberté de retourner dans cette terre qui est la nôtre de droit divin. Notre nombre est réduit et nous avons appris à cultiver le sol ; nous n'avons pas besoin d'autant de terre qu'auparavant. Nous ne réclamons pas la totalité de ce que le Tout-Puissant nous donna au début, mais juste d'avoir suffisamment de terre à cultiver. Nous serons contents de cultiver le surplus pour les hommes blancs.

Nous nous tenons maintenant sur les terres comanches et kiowas, qui ne correspondent pas à nos besoins... Notre peuple décroît en nombre ici, et continuera à décroître s'il n'est pas autorisé à retourner dans son pays natal...

Pieds nus sur la terre sacrée,
textes recueillis par T.C. Mac Luhan
Denoël, 1971

Les guerriers des Plaines

La photographie a immortalisé les héros de la résistance indienne au XIXe siècle. Dans leur regard ne se lit pas la haine mais la tristesse de ne plus entendre le tonnerre des troupeaux de bisons et de ne plus voir le vent caresser les herbes des grandes plaines.

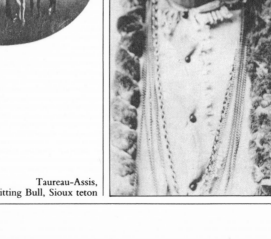

Taureau-Assis,
Sitting Bull, Sioux teton

Taureau-Trapu,
Short Bull, Sioux

Tunique-de-Loup,
Wolf Robe, Cheyenne

Ours-Méchant,
Kicking Bear, Sioux

Chien-Court-Sur-Pattes,
Low Dog, guerrier sioux

Quanah Parker
Quanah Parker, Comanche

Chef Joseph,
Hinmaton-yalatkit, Nez-Percé

Souvenirs d'un chef sioux

Les biographies d'Indiens se sont multipliées au XXe siècle, ainsi celle du chef sioux oglala, Ours-Debout. Il a vécu le crépuscule de son peuple. Il se souvient de l'époque où il poursuivait le bison et le « cheval de fer ».

A la fin du siècle dernier, alors que des milliers de kilomètres de rails traversent les Plaines, les trains restent pour les Indiens objets de méfiance et de curiosité.

Un jour, c'était peu de temps après ma naissance, un de nos éclaireurs rentra au camp très surexcité et raconta qu'il avait vu un grand serpent ramper à travers la prairie. Cela causa beaucoup d'émoi. Une observation attentive révéla le fait qu'un panache de fumée suivait le prétendu serpent. C'était là le premier train à voie ferrée de l'Union Pacific Railroad. Pour les Indiens, c'était quelque chose de fort curieux, aussi se mirent-ils à grimper sur les hauteurs pour voir courir ce train et entendre les bruits étranges qu'il faisait. Quand ils virent que le « serpent » rampait sur une voie de fer et ne la quittait pas, ils commencèrent à s'enhardir un peu et se rapprochèrent pour mieux examiner cette chose curieuse.

A quelque temps de là une bande de guerriers de notre tribu revenait au camp. Très altérés, ils s'arrêtèrent à la station du chemin de fer pour prendre de l'eau. Le Blanc qui en avait la charge les obligea à s'en aller sans leur donner à boire. Peut-être avait-il peur des Indiens, ou bien, leur ayant fait quelque mal, pensait-il qu'ils étaient venus pour le châtier. Son attitude mit les Indiens en fureur. Ils trouvaient étrange que les Blancs fassent passer un chemin de fer sur leurs territoires et que, malgré cela, ils ne veuillent même pas leur donner d'eau à boire.

Aussi cette bande de guerriers, en revenant au camp, raconta l'accueil que leur avait fait ce Blanc. Aussitôt on réunit un conseil et on décida d'agir. Ma mère avait entendu ce qu'avaient dit les hommes ; après m'avoir confié à ma grand-mère, elle se munit d'une petite hache et suivit les guerriers. Lorsqu'ils furent arrivés à la voie du chemin de fer, ils décidèrent de détruire quelques rails et les pièces de bois auxquelles ils étaient fixés. (...)

Lorsque l'équipe du train aperçut les Indiens au loin, elle commença à tirer sur eux. Ceux-ci cravachèrent alors leurs poneys et leur donnèrent la chasse. Les hommes qui étaient dans le train étaient si occupés à se moquer des Indiens et à s'amuser de leurs efforts pour les rattraper, qu'ils oublièrent de regarder la voie devant eux, ne soupçonnant pas que les Indiens fussent assez habiles et assez rusés pour leur tendre un piège. Lorsque le train atteignit l'endroit où la voie était détruite, il sortit des rails et fut terriblement endommagé.

Ma mère s'était cachée près de là et, lorsque le train dérailla, elle accourut. Il se trouva que c'était un train de marchandises emportant vers l'Ouest lointain toutes sortes de denrées, parmi lesquelles il y avait une grande quantité de sucre d'érable, de cotonnades et de perles. C'est dans cet accident de chemin de fer que ma mère trouva les premières perles que les Sioux aient jamais vues. Avant cela, tout le travail d'ornementation des mocassins ou des vêtements se faisait avec des piquants de porc-épic teints.

Pour en faire usage, les femmes les mettaient dans leur bouche pour les ramollir, puis les aplatissaient avec leur ongle avant de les poser.

Ma mère était fort ingénieuse, aussi conçut-elle l'idée de faire usage de perles à la place des piquants et de voir ainsi quel aspect cela aurait. (...) Je fus donc le premier Indien Sioux à porter une couverture garnie de perles.

Pillage d'un train par des Indiens, vers 1868. A gauche, installation d'une ligne télégraphique le long de la voie ferrée, en 1860.

Pour tout garçon indien, la première chasse au bison était un événement de grande importance, et le premier bison tué revêtait pour lui une valeur de symbole.

Au sommet de la colline tous les chasseurs rendirent la main à leurs chevaux, qui s'élancèrent rapides comme le vent. Je cravachai ma petite jument noire et il s'en fallut de peu que je ne prenne la tête du groupe. Je me trouvai rapidement au milieu d'un nuage de poussière, ne pouvant rien voir devant moi. Tout ce que je pouvais entendre c'étaient le grondement et le fracas que faisaient les sabots des buffalos s'enfuyant avec un bruit de tonnerre. Mon poney faisait des écarts de côté et d'autre et il me fallait me cramponner de toutes mes forces. (...)

Ce fut alors que je vis ce que mon père m'avait déjà dit. J'étais pas mal en avant des bisons ; quand ils m'aperçurent, ils se mirent à courir dans deux directions opposées. Quand je regardai ces grands animaux et que je songeai à essayer d'en tuer un, je sentis combien j'étais petit. J'en avais vraiment peur. Alors je pensai que ma belle-mère m'avait dit de lui rapporter des rognons et une peau et l'idée qu'après tout j'étais un homme me revint à l'esprit (...).

J'étais seul, mais j'étais décidé à donner la chasse à ces animaux, que j'en tue un ou non. Pendant tout ce temps-là je pouvais entendre les coups tirés par les chasseurs qui possédaient des fusils et je savais qu'ils en tuaient. Aussi je me mis à la poursuite de ce petit groupe et tout en m'élançant derrière eux je pris une de mes flèches que je tirai au milieu du troupeau. Je ne savais même pas où elle était allée et je pensais déjà à abandonner la poursuite, lorsque je remarquai une jeune génisse qui galopait moins vite que les autres. (...)

Je galopai jusqu'à ce que je fusse tout à côté de la bête, ainsi que me l'avait enseigné mon père. Je pris une flèche dans mon carquois en me cramponnant à mon poney de toute la force de mes jambes. Je la mis en place et, tendant l'arc de toutes mes forces, je la laissai partir. J'avais espéré tuer le bison très rapidement, mais la flèche

pénétra dans le cou — et moi qui avais pensé avoir si bien visé ! Mais l'animal, secouant seulement la tête, continua à courir. Je le rattrapai encore et lâchai une autre flèche qui pénétra dans la direction du cœur. Quoiqu'elle n'eût pas été tirée avec assez de force pour être mortelle, je vis que l'animal s'affaiblissait rapidement et que sa course se ralentissait. C'est alors que je pris ma troisième flèche et que je tirai à nouveau. Celle-là pénétra jusqu'au cœur. Je commençais à croire que ce bison avait les neuf vies d'un chat et qu'il allait être aussi difficile à tuer que cet animal, lorsque je vis du sang lui sortir des naseaux. Alors je compris qu'il allait bientôt s'abattre. Je lui tirai ma quatrième flèche, il chancela, s'abattit sur le côté et bientôt il était mort. Ainsi j'avais tué mon premier buffalo.

Quand j'examinai l'animal tombé et vis que je lui avais tiré cinq flèches, j'eus l'impression que c'était trop pour un seul bison. (...)

Pendant que je restais à penser à cela, je me sentais honteux de ma maladresse comme tireur. Je songeai à retirer toutes les flèches, sauf une. En fait, j'avais commencé quand me revint à l'esprit une remarque que mon père m'avait faite un jour. C'était : « Fils, rappelle-toi toujours qu'un homme qui dit des mensonges n'est jamais aimé par personne. » Aussi, au lieu d'essayer de tromper, je dis la vérité et cela me rendit plus heureux.

J'enlevai toutes les flèches et commençai à dépecer le bison. Tout alla merveilleusement bien jusqu'à ce que j'essayasse de retourner l'animal. Je découvris alors que c'était une trop lourde tâche pour moi. Comme je n'avais qu'un seul côté de dépecé, je songeai à enlever les rognons et à couper un beau quartier de viande pour ma belle-mère. Juste à ce moment, j'entendis quelqu'un m'appeler. Je montai sur mon poney et gravis le sommet de la colline. Là, je vis mon père qui m'avait cherché. (...)

Il était fort heureux que j'eusse essayé de faire de mon mieux. Alors je lui dis le nombre de flèches qu'il m'avait fallu employer et où chacune avait frappé. Je lui dis même que j'avais tiré ma première flèche en plein dans le troupeau, ne sachant pas où elle avait frappé. Il rit, mais il était fier de moi. Je pense que c'était parce que j'avais dit la vérité et que je n'avais pas essayé de le tromper ou de mentir, bien que je ne fusse qu'un enfant. (...)

Mon père appela le viel homme du camp, qui jouait toujours le rôle de héraut, pour annoncer que « Ota Kte » ou « Beaucoup Tue » avait abattu son premier buffalo et que « Ours Debout », son père, faisait cadeau d'un cheval.

Ce fut là le premier et dernier bison que j'aie jamais tué et il me fallut cinq flèches pour en venir à bout.

Luther Ours-Debout,
Souvenirs d'un chef sioux

Le grand Géronimo

Géronimo fait partie de ces chefs dont les noms symbolisent la résistance indienne à l'impérialisme américain, déjà. On ignore souvent que la photo où, agenouillé, il tient son fusil à la main a été prise lors de sa reddition en 1886.

Il y avait quatre tribus apaches distinctes : les Chiricahuas, les Mescaleros, les Lipans et les Jicarillas. Géronimo est né chez les Chiricahuas du sud, mais a grandi chez les Chiricahuas du Nord.

Je suis né dans le canon No-doyohn, dans l'Arizona, en juin 1829. (...)

J'étais le quatrième d'une famille de huit enfants — quatre garçons et quatre filles. De cette famille, moi-même, mon frère Porico (Cheval Blanc) et ma sœur Nah-da-ste sommes les seuls survivants. Nous sommes prisonniers de guerre dans la réserve militaire (Fort Sill).

Tout enfant, je rampais sur le sol souillé du *tepee* de mon père, ma mère me portait sur son dos, suspendu dans mon *tsoch* (berceau, en apache) ou me suspendait à une branche d'arbre. Le soleil me réchauffait, le vent me berçait, les arbres m'abritaient comme tous les autres enfants apaches.

Quand je fus plus grand, ma mère m'apprit les légendes de notre peuple, me parla du soleil et du ciel, de la lune et des étoiles, des nuages et des orages. Elle m'apprit aussi à m'agenouiller pour prier Usen qu'il me donne la force, la santé, la sagesse et sa protection. Nous ne demandions jamais à Usen de punir une autre personne mais si nous avions quoi que ce soit contre quelqu'un, nous nous vengions nous-mêmes. On nous avait appris qu'Usen ne se préoccupait pas des querelles mesquines des hommes.

Mon père me parlait souvent des hauts faits de nos guerriers, des plaisirs de la chasse et des gloires du sentier de la guerre.

Avec mes frères et sœurs, je jouais autour du foyer de mon père. Nous jouions à cache-cache parmi les rochers et les pins. Ou nous flânions à l'ombre des peupliers ou cherchions le *shudock* (sorte de cerise sauvage) pendant que nos parents travaillaient aux champs. Ou bien encore nous jouions à la guerre. Nous nous exercions à nous approcher sans bruit d'un objet représentant l'ennemi et, à notre échelle, accomplissions de hauts faits de guerre. (...)

Quand nous fûmes assez grands pour être de quelque utilité, nous allâmes aux champs avec nos parents. Non plus pour jouer mais pour travailler dur. Quand venait le moment de planter la récolte, nous préparions le sol avec des houes de bois. Nous plantions le maïs en rangs bien droits, les haricots entre les plants de maïs, et les melons et les citrouilles, irrégulièrement à travers le champ. Nous cultivions ces plantes parce que c'était nécessaire.

Notre champ n'avait généralement pas plus d'un hectare. Les champs n'étaient jamais clos. Il n'était pas rare que plusieurs familles cultivent la terre dans la même vallée et partagent la tâche de veiller sur la récolte et d'empêcher les poneys de la tribu, les daims ou d'autres animaux sauvages de la détruire.

Nous ramassions les melons quand nous voulions en manger. A l'automne, nous récoltions les citrouilles et les haricots et les mettions dans des sacs ou des paniers. Nous liions ensemble les enveloppes des épis de maïs et les poneys portaient ainsi la récolte jusque chez nous. Là, nous décortiquions le maïs et nous placions toute la récolte dans des caves ou tout autre lieu retiré pour ne l'utiliser que l'hiver.

Nous ne donnions jamais de maïs à nos poneys mais si nous les gardions l'hiver, nous leur donnions du fourrage. Nous ne possédions pas de bétail ou autres animaux domestiques, à part nos chiens et nos poneys.

Nous ne cultivions pas le tabac car nous le trouvions à l'état sauvage. Nous le coupions et le faisions sécher l'automne mais s'il venait à manquer, le chaume laissé dans les champs remplissait cet office. Tous les Indiens fumaient — hommes et femmes. Les garçons n'avaient le droit de fumer qu'après avoir chassé seuls et tué du gros gibier — comme des loups ou des ours. Il n'était pas interdit aux femmes qui n'étaient pas encore mariées de fumer mais on les trouvait impudentes si elles le faisaient. Presque toutes les mères de famille fumaient.

Le maïs moulu (à la main avec des mortiers et des pilons de pierre) ne nous servait pas seulement à faire du pain. Nous l'écrasions aussi et le faisions tremper puis, après fermentation, nous en faisions du « tis-win » qui avait le pouvoir d'enivrer et était hautement prisé par les Indiens. Ce travail était fait par les squaws et les enfants. Lorsque c'était la saison des baies et des noix, les jeunes enfants et les squaws partaient en faire la cueillette et souvent y passaient leur journée. Quand ils partaient assez loin du camp, ils prenaient des poneys pour porter les paniers.

Je me joignais fréquemment à eux et lors d'une de ces excursions, une femme du nom de Cho-ko-le se perdit et, montée sur son poney, partit dans les fourrés à la recherche de ses amies. Son petit chien la suivait tandis qu'elle se frayait difficilement un chemin à travers le sous-bois épais et les pins. Soudain, un grizzli surgit sur son chemin et attaqua le poney. Elle sauta à terre et le poney s'enfuit. L'ours s'attaqua alors à elle et elle se battit du mieux qu'elle put avec son couteau. Son petit chien qui mordait les talons de l'ours et distrayait ainsi son attention lui permit pendant quelque temps de rester hors de sa portée. Finalement, le grizzli la frappa sur le dessus de la tête, lui arrachant presque totalement son scalp. Elle tomba mais ne perdit pas connaissance et, malgré sa chute, elle parvint à lui donner quatre grands coups de couteau et il se retira. Quand il fut parti, elle replaça son scalp arraché et l'attacha du mieux qu'elle put. Puis, elle se sentit mal et s'allongea. Celle nuit-là, son poney revint au camp avec son fardeau de noix et de baies mais sans sa

Les bébés apaches étaient ainsi solidement arrimés sur le dos de leur mère dès l'âge de trois mois.

cavalière. Les Indiens se mirent à sa recherche mais ne la trouvèrent qu'au bout de deux jours. Ils la ramenèrent au camp et, grâce aux soins des hommes-médecine, toutes ses blessures furent guéries.

Les Indiens connaissaient les herbes pour soigner, ils savaient comment les préparer et comment les appliquer. Ceci leur avait été enseigné par Usen, au commencement, et dans chaque génération il y avait des hommes habiles dans l'art de guérir.

Après la récolte des herbes, leur préparation et l'administration de la medecine, nous mettions autant de foi dans les prières que dans le véritable effet de la médecine. (...)

Certains Indiens étaient habiles à extraire les balles, les têtes de flèches ou autres projectiles qui pouvaient blesser nos guerriers. Je l'ai moi-même fait à l'aide d'un simple poignard ou d'un couteau pour dépecer la viande.

Les jeunes enfants étaient vêtus très légèrement l'hiver et ne portaient rien l'été. Les femmes, en général, portaient une jupe rudimentaire qui consistait en un morceau de cotonnade noué autour de la taille et qui s'arrêtait aux genoux. Les hommes portaient des pantalons et des mocassins. L'hiver, ils mettaient des chemises et des jambières.

Souvent, quand la tribu avait établi son campement, un certain nombre de garçons et de filles sortaient à la dérobée et se retrouvaient à quelques kilomètres de là pour jouer toute la journée et éviter de travailler. Ils n'étaient jamais punis pour ces fredaines mais si l'on découvrait où ils se cachaient, on se moquait d'eux.

Pendant l'été 1858, la tribu des Apaches Bedonkohe part vers le sud pour faire du commerce. En chemin, ils font halte aux abords d'une ville mexicaine appelée « Kas-ki-yeh » par les Indiens. Un jour que les guerriers étaient partis en ville, ils revinrent au camp le soir pour s'apercevoir que les Mexicains avaient massacré en leur absence leurs femmes et leurs enfants. Géronimo lui-même a perdu sa mère, sa femme et ses trois enfants. Il jure de venger les Apaches.

Aussitôt que nous eûmes rassemblé quelques armes et des vivres, Mangus-Colorado, notre chef, convoqua le conseil et trouva tous les guerriers prêts à prendre le sentier de la guerre contre le Mexique. On me désigna pour demander l'aide des autres tribus.

Je me rendis chez les Apaches Chokonen (Chiricahuas) et Cochise, leur chef, convoqua le conseil dès l'aurore. Silencieusement, les guerriers s'assemblèrent dans une clairière, dans le vallon d'une montagne, et s'assirent sur le sol en cercle selon leur rang. Ils fumèrent en silence. Au signal du chef, je me levai et présentai ainsi ma cause :

« Frères de race, vous avez entendu ce que les Mexicains nous ont fait sans motif. Vous êtes mes parents — oncles, cousins, frères. Nous sommes des hommes comme les Mexicains — nous pouvons leur faire ce qu'ils nous ont fait. Allons les attaquer — je vous conduirai à leur ville — nous les surprendrons dans leurs maisons. Je me battrai au premier rang. Je vous demande simplement de me suivre pour venger le tort que les Mexicains nous ont fait. Viendrez-vous ? C'est bien. Vous viendrez tous.

« N'oubliez pas la loi de la guerre. Les hommes peuvent revenir mais ils peuvent aussi être tués. Si l'un de ces jeunes gens meurt, je ne veux pas que leurs frères de race me blâment car ils ont choisi librement de partir. Si je suis tué, personne ne doit me pleurer. Toute ma famille a été tuée dans ce pays et moi aussi, je mourrai si c'est nécessaire. »

Je rentrai à notre campement rapporter ce succès à notre chef et je repartis immédiatement vers le sud, dans le territoire des Apaches Nedni. Leur chef, Whoa, m'écouta sans un mot puis il donna l'ordre de réunir immédiatement le conseil et quand ils furent tous présents, il me fit signe de parler. Je leur tins les mêmes propos que j'avais tenus à la tribu Chokonen et ils promirent également de nous aider.

Ce fut pendant l'été 1859, presque un an après le massacre de Kaskiyeh que ces trois tribus se rassemblèrent à la frontière mexicaine pour prendre le sentier de la guerre. Ils avaient peint leurs visages, attaché les bandeaux de guerre à leurs fronts, leurs longues chevelures prêtes pour le couteau du guerrier qui les vaincrait. Ils avaient mis leurs familles à l'abri dans les montagnes, près de la frontière mexicaine. Un guerrier était chargé de veiller sur ces familles et ils étaient convenus de plusieurs autres endroits de rendez-vous, au cas où le camp aurait été attaqué.

Quand tout fut prêt, les chefs donnèrent le signal du départ. Nous n'avions pas pris de chevaux et chaque guerrier portait des mocassins et une pièce de tissu enroulée autour des reins. Ce vêtement lui servait, la nuit, de couverture et, pendant la marche, lui assurait une protection suffisante. Dans la bataille, lorsque le combat est dur, nous n'aimons pas être très vêtus. Chaque guerrier portait aussi trois jours de vivres et comme nous tuions souvent du gibier pendant la marche, nous manquions rarement de nourriture. (...)

Quand nous fûmes presque arrivés à Arispe, nous dressâmes nos tentes et huit hommes sortirent de la ville à cheval pour parlementer avec nous. Ces hommes, nous les capturâmes, nous les tuâmes et nous les scalpâmes. Il était certain qu'après cela les troupes allaient sortir de la ville et, en effet, le lendemain, elles nous attaquèrent. Les escarmouches se multiplièrent toute la journée sans que nous engagions un combat général. Mais à la nuit tombante, nous capturâmes leur convoi de ravitaillement et nous eûmes ainsi des vivres en abondance et des fusils en plus.

Cette nuit-là, nous postâmes des sentinelles et nous restâmes dans notre camp pour nous reposer car nous nous attendions à un dur combat le jour suivant. Le lendemain matin, très tôt, les guerriers se rassemblèrent pour prier — non pas pour demander de l'aide mais pour avoir la force et éviter les embuscades et les duperies de l'ennemi.

Comme nous l'avions prévu, vers dix heures du matin, toutes les troupes mexicaines sortirent de la ville. Il y avait deux compagnies de cavalerie et deux d'infanterie. Je reconnus les soldats de la cavalerie pour être ceux qui avaient massacré ma femme et mes enfants à Kas-ki-yeh. Je le dis aux chefs qui décidèrent de me confier la direction de la bataille.

Je n'étais pas un chef et ne l'avais jamais été mais parce que j'étais celui qui avait le plus souffert, on me conféra cet honneur et je résolus de me montrer digne de leur confiance. Je fis placer les Indiens dans une dépression circulaire près de la rivière. Les Mexicains s'avancèrent, l'infanterie sur deux rangées ; la cavalerie restait en réserve. Nous étions à couvert dans le bois et ils s'avancèrent vers nous jusqu'à ce qu'ils soient à environ quatre cents mètres et là, s'arrêtèrent et ouvrirent le feu. Bientôt, je donnai le signal de l'assaut et envoyai en même temps des braves pour attaquer leurs arrières. Beaucoup tombèrent, frappés de ma main, et je continuai à mener la charge. Beaucoup de braves furent tués. La bataille dura deux heures environ.

À la fin, il ne restait plus que quatre Indiens au milieu du terrain — moi-même et trois autres guerriers. Nous n'avions plus de flèches, nos lances s'étaient brisées dans le corps des ennemis vaincus. Nous n'avions plus que nos mains et nos couteaux pour nous battre, mais tous ceux qui s'étaient battus contre nous étaient morts. C'est alors que deux soldats armés vinrent vers nous, de l'autre côté du champ. Ils tuèrent deux de nos hommes et nous, ceux qui restions, courûmes rejoindre le reste de nos guerriers. Mon compagnon fut tué d'un coup de sabre mais je réussis à atteindre l'endroit où se tenaient nos guerriers, pris une lance et me retournai. Celui qui me poursuivait manqua son but et s'empala sur ma lance. Je m'emparai de son sabre et m'élançai sur le soldat qui avait tué mon compagnon. Je le saisis à bras-le-corps et nous roulâmes par terre. Je le tuai avec mon couteau et, vivement, me redressai, brandissant son sabre, cherchant déjà d'autres soldats à tuer. Il n'y en avait plus. Mais les Apaches avaient vu. Sur le champ sanglant, couvert des corps des Mexicains, s'éleva le fier cri de guerre des Apaches.

Encore couvert du sang de mes ennemis, tenant encore mon arme victorieuse, encore submergé du bonheur que m'avait procuré la bataille, je fus entouré par tous les braves et sacré chef de tous les Apaches. Puis, je donnai l'ordre de scalper les morts.

Géronimo,
Mémoires
Edition La Découverte, 1987.

Géronimo (à l'extrême droite) et ses guerriers apaches dans le camp de la Sierra Madre, en 1886, au moment de la conférence avec le général Crook.

Carquois, plumes et flèches

L'art indien s'exprime dans le quotidien – armes et objets domestiques – avec efficacité et créativité. Couleurs et dessins s'harmonisent pour mettre en valeur la peau ou le bois.

L'Indien se servait d'un marteau de pierre pour tailler la flèche en obsidienne, puis d'une sorte de couteau fait d'une pierre silicée coupante pour l'affiner.

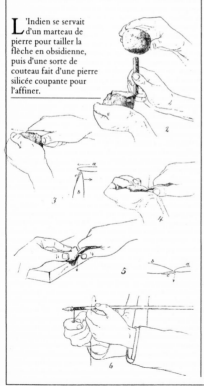

Le matériel du tailleur de flèches se compose d'éléments simples : un bon bois dur pour la hampe de la flèche, des tendons pour la corde, de la résine pour coller les plumes, une pierre pas trop dure pour être taillable à angles vifs.

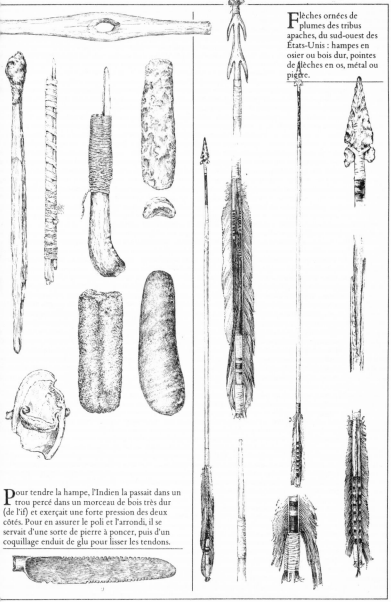

Flèches ornées de plumes des tribus apaches, du sud-ouest des États-Unis : hampes en osier ou bois dur, pointes de flèches en os, métal ou pierre.

Pour tendre la hampe, l'Indien la passait dans un trou percé dans un morceau de bois très dur (de l'if) et exerçait une forte pression des deux côtés. Pour en assurer le poli et l'arrondi, il se servait d'une sorte de pierre à poncer, puis d'un coquillage enduit de glu pour lisser les tendons.

Carquois et flèches apaches. Les flèches sont durcies au noir de fumée et le carquois, en peau de daim, est cousu d'un fil en peau également. D'une hauteur de 0,80 m à 1 m, le carquois est décoré tout au long de la couture et sur les bords avec des losanges de tissu rouge et de peau plus sombre. Un simple cordon de peau permet au chasseur de suspendre son carquois à l'épaule.

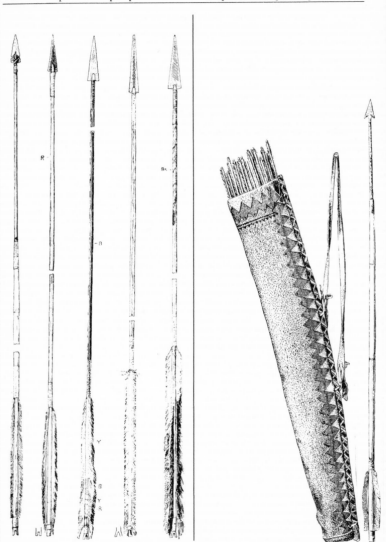

Flèches des Indiens mokis, shoshones et pueblos, en provenance du sud de la Californie et de l'Arizona. Les matériaux utilisés pour les différentes parties de la flèche sont sensiblement les mêmes pour la plupart des tribus, avec des variantes locales, à l'exception de la troisième en partant de la gauche dont la pointe est faite à partir d'une paire de ciseaux.

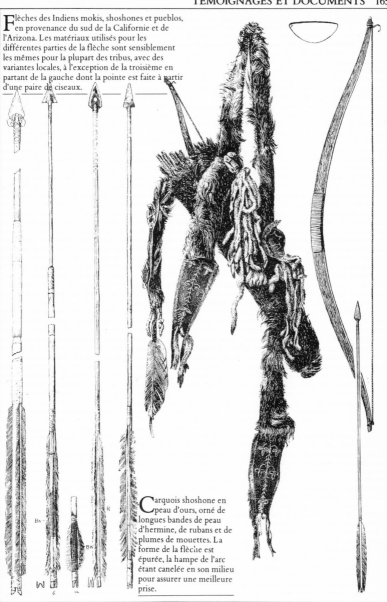

Carquois shoshone en peau d'ours, orné de longues bandes de peau d'hermine, de rubans et de plumes de mouettes. La forme de la flèche est épurée, la hampe de l'arc étant canelée en son milieu pour assurer une meilleure prise.

Dans l'ombre des réserves

« On ne peut prendre un Indien par la nuque et en faire un fermier », ironisait le sénateur Dawes en 1885. On voulait néanmoins que les Indiens deviennent des Américains « comme les autres ».

En 1860, après un combat acharné, les Paiutes cèdent la plupart de leurs terrains dans le Nevada et acceptent de résider dans la petite réserve de Pyramid Lake. Sarah Winnemuca, surnommée la « Jeanne d'Arc indienne », raconte :

Aucun blanc n'y vivait à l'époque où la réserve nous fut donnée. Nous, les Paiutes, avons toujours vécu près de la rivière, parce que dans ces deux lacs (Pyramid Lake et Muddy Lake), nous attrapions de magnifiques truites de montagne. Ils nous auraient encore procuré de bons revenus si on nous avait tout laissé. Mais depuis 1867, le chemin de fer traverse la réserve et les Blancs nous ont pris la meilleure partie du terrain ainsi que l'un des lacs.

Le premier travail auquel s'adonna mon peuple fut de creuser un canal pour y construire ensuite une scierie et un moulin. Nous n'avons jamais entendu parler du moulin ni de la scierie, bien que le rapport imprimé des archives des Etats-Unis indique que 25 000 dollars ont été affectés à leur construction. Où cet argent est-il allé ? Le rapport dit que le moulin et la scierie ont été vendus au bénéfice des Indiens pour payer le bois de construction de leurs maisons. Mais aucun bout de bois ne nous est parvenu. Et mon peuple ne possède plus aucun terrain où il pourrait se procurer du bois. Les Blancs utilisent le canal creusé par mon peuple pour irriguer leurs terres. (...)

Corruption et vol des agents du B.I.A. (Board of Indian Affairs), empiétements des colons sur les réserves mêmes sont monnaie courante. Voici le rapport de Red Cloud (le chef sioux « progressiste »).

Lors des premiers traités que nous avons signés avec le gouvernement,

R ed Cloud (1822-1909), chef des Oglalas, leader des Sioux et des Cheyennes durant les guerres indiennes.

Les officiers de l'armée nous ont aidés mieux que les autres, mais nous n'avons pas été laissés à leur garde. Un Département des Affaires indiennes a été créé, avec un grand nombre d'agents et d'autres employés qui recevaient de gros salaires. (...) C'est alors que tous les ennuis ont commencé. (...) Il me semble qu'ils trouvaient plus avantageux de nous laisser comme nous étions plutôt que de nous faire progresser. Nos rations commencèrent à diminuer. Certains disaient que nous étions paresseux et que nous voulions vivre sur nos rations sans travailler. C'est faux. (...)

Rappelez-vous que même nos petits poneys nous avaient été enlevés contre la promesse qu'ils seraient remplacés par des chevaux et du bétail ; nous avons attendu longtemps qu'ils arrivent, et alors il n'y en eut qu'une petite quantité. (...) De grands efforts ont été faits pour détruire nos coutumes, mais aucun pour nous enseigner celles des Blancs. Tout a été fait pour briser le pouvoir des vrais chefs, ceux qui souhaitaient vraiment le progrès de leur peuple, et ils furent remplacés par des petits hommes, des soi-disant chefs qui furent employés comme fauteurs de troubles et agitateurs. (...)

Vous qui mangez trois fois par jour et qui contemplez vos enfants heureux et bien portants, vous ne pouvez comprendre ce que ressentaient les Indiens dans leur misère. (...) Il n'y avait plus d'espoir sur terre ; Dieu nous avait oubliés.

voici quelle était notre position : notre ancienne vie et nos vieilles coutumes étaient sur le point de mourir ; le gibier dont nous avions vécu disparaissait ; les Blancs nous encerclaient et il ne nous restait pas d'autre choix que d'adopter leur mode de vie et d'avoir les mêmes droits qu'eux, si nous voulions survivre. Le gouvernement nous a promis de nous donner les moyens de subsister sur notre terre, de nous apprendre à la cultiver, et en attendant que nous soyons capables de subvenir à nos besoins, il nous fournirait des vivres en abondance. Nous étions impatients de voir venir le moment où nous serions aussi indépendants que les Blancs et où nous aurions une voix au gouvernement.

Élise Marienstras,
La Résistance Indienne

En 1978, les Canadiens publiaient un rapport sur les réserves d'Indiens, au début duquel ils s'attachaient à préciser quelques définitions de base.

Quelques définitions

La bande
Une bande réunit tous les indigènes appartenant à un groupe spécifique et officiellement enregistrés comme membres de ce groupe. (...) Cependant, un nombre important des membres de bandes ne vivent pas sur la réserve de leur bande.

Les Métis
Ce mot signifie « sang mêlé ». Sont considérés comme métis les enfants nés d'unions entre indigènes et allogènes. Les Métis ne jouissent pas des droits et des responsabilités des Indiens, mais se considèrent néanmoins souvent comme indigènes.

La nation (tribu)
La tribu, ou nation, désigne un groupe de populations indigènes possédant des traits communs : langue, culture, histoire, aspect extérieur. Une nation peut se subdiviser ; ainsi, la nation iroquoise réunit les Mohawk, les Oneida, les Onondaga, les Cayuga, les Seneca et les Tuscarora.

Selon certains spécialistes, il ne convient pas d'employer le terme « tribu » à propos des indigènes du Canada. (...) Le terme « nation » paraît à la fois plus précis et plus acceptable.

Les Indiens sans statut
L'étiquette « Indien sans statut » s'applique aux Indiens non reconnus comme tels aux termes de la Loi sur les Indiens. Cette exclusion a pu se faire de diverses façons. (...) Ainsi, certains indiens sans statut sont-ils les descendants d'indigènes oubliés dans la confusion de l'enregistrement ou qui, par principe, boycottèrent les négociations.

Par ailleurs, jusqu'au début des années 1950, de nombreux indigènes ont choisi de renoncer à leur statut d'Indien pour devenir des « affranchis », des Canadiens à part entière. A cette époque, l'« affranchissement » donnait aux individus le droit et le devoir de voter aussi bien que de fréquenter les débits de boisson. (...)

Enfin, un grand nombre d'Indiens ont perdu leur statut par le mariage. Comme le statut se transmet par les hommes, de nombreuses femmes indigènes l'ont perdu pour elles et pour leurs enfants en épousant des Indiens sans statut.

Comment fonctionne une réserve ? La réponse se cantonne ici au domaine théorique. La réalité comporte des variantes.

Chaque réserve est dirigée par un chef et un conseil qui agissent dans le cadre des règles et principes connus sous le

Indien de la tribu des Crees, en 1887.

Famille canadienne descendant des guerriers iroquois (photo prise en 1927).

nom de Loi sur les Indiens ; d'autres orientations sont fixées aux termes du traité ayant créé la réserve. (...)

La Loi sur les Indiens fut adoptée en 1876, puis considérablement révisée en 1880. Quelques modifications lui furent à nouveau apportées en 1951. On discute encore beaucoup au gouvernement fédéral, dans les bandes et les associations d'Indiens, de l'éventualité de nouvelles révisions de la loi.

Le chef

Dans certaines nations indigènes, la responsabilité du chef était autrefois héréditaire. Dans d'autres nations, chaque individu dont l'excellence en un domaine était reconnue par ses pairs assurait la responsabilité de chef en ce domaine spécifique d'activité. Au cours des dernières années, un nombre significatif de femmes ont assumé le rôle de chef. À l'heure actuelle, au Canada, seul le chef élu par le conseil de chaque bande porte le titre de « chef ».

Le conseil

Le conseil est aussi élu par les membres de la bande. Le nombre de membres du conseil est fonction de la population de la bande. (...) Le chef est à la tête du conseil dont il dirige les activités ; le chef et le conseil sont comptables devant les membres de la bande de la gestion des ressources et il leur revient de lancer divers projets intéressant la bande. Dans le cadre fixé par la Loi sur les Indiens, le conseil possède l'autorité et la responsabilité d'édicter des arrêtés pour sa communauté.

Les commissions

Nommées par le conseil, les commissions sont chargées d'une grande partie des activités de la réserve : enseignement, loisirs, bibliothèque, culture et logement.

Les traités

Chaque bande est liée par le traité qui a défini les limites de sa réserve.

la Documentation française,
8 octobre 1982

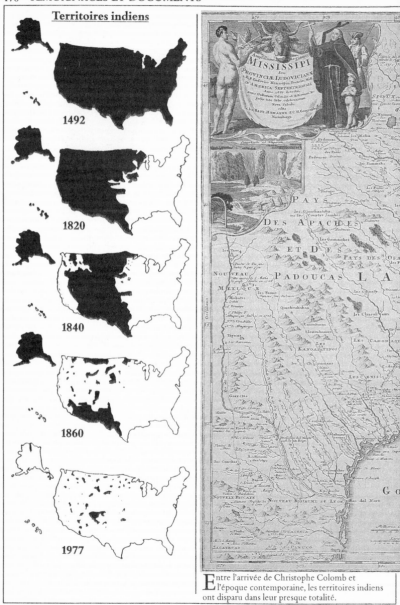

Entre l'arrivée de Christophe Colomb et
l'époque contemporaine, les territoires indiens
ont disparu dans leur presque totalité.

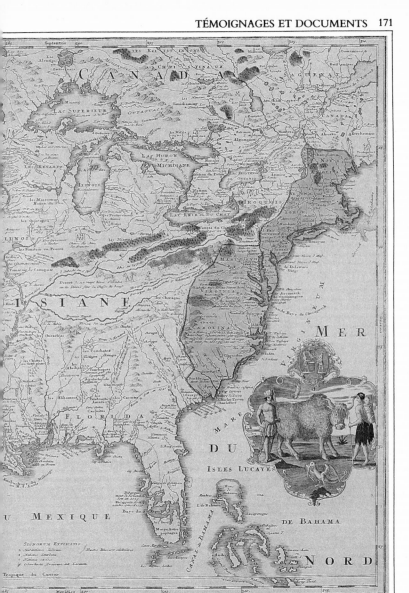

Cette carte du XVIIIe siècle, de la région du Mississippi, témoigne d'une époque où les tribus indiennes vivaient encore sereines sur des terres qui étaient leurs depuis des siècles.

Le mouvement indien

« Dorénavant, nous ne prendrons pas de repos avant d'avoir reconquis la place qui nous est due », lançaient des Cherokees de l'Oklahoma en mai 1966. Déclaration qui se traduit depuis par des luttes et des manifestations…

Dans la solitude pesante de sa cellule, un jeune indien de 19 ans s'est pendu à l'aide d'une chaussette. (...) Dans la réserve indienne de Wind River, dans le Wyoming (ouest des Etats-Unis), 10 jeunes indiens se sont suicidés en l'espace de deux mois. (...)

Dans cette réserve indienne de quelque 5 000 habitants, le taux de suicides est de 62 fois plus élevé que la moyenne nationale : plus de 48 tentatives de suicide − près d'une par semaine − ont été enregistrées depuis le début de l'année contre moins de 30 l'année passée. (...)

Déshérités parmi les déshérités, les Indiens ont le triste privilège de battre bon nombre de records aux Etats-Unis. Ils ont le plus faible revenu annuel par habitant, la plus courte espérance de vie, le taux le plus élevé de morts par accidents, de maladies de la pauvreté comme la tuberculose, d'alcoolisme et d'années de prison pour les mêmes délits que ceux commis par les non-indiens.

Les cérémonies actuelles de la « danse sacrée du soleil » ou de la fête du bison, célébrées devant les caméras de télévision et les touristes, relèvent aujourd'hui d'une forme de folklore destiné à entretenir une vision stéréotypée des Indiens. Les véritables cérémonies vouées au soleil, au serpent, au fleuve ou au torrent en l'honneur de la « terre mère » existent toujours à l'abri des regards.

En hiver, 90 % de chômeurs

Selon l'International Indian Treaty Concil (IITC) l'organisme de défense des Indiens, ayant voix consultative à l'ONU depuis 1975, plus de 75 % d'entre eux souffrent de mal   tion
enfant sur trois meurt avant l'âge

de six mois. Le chômage atteint des taux de 75 % et, dans les mois d'hiver, 90 %... (...)

« Nous sommes des survivants », souligne Mark Banks, un responsable du principal mouvement militant indien des Américains, l'« American Indian Movement » (AIM). (...)

La lutte pour la reconnaissance de ses « frères », Mark Banks la connaît bien. Son propre frère, Dennis Banks, s'y est engagé totalement depuis plus de vingt ans, et est à l'origine de l'AIM, créé en 1968 à Minneapolis (Minnesota), rassemblement d'une vingtaine d'organisations indiennes dont l'action dans les ghettos indiens s'était avérée faible, ou en ordre si dispersé qu'aucune démarche n'aboutissait. (...)

L'AIM commença à œuvrer contre l'injustice raciale à Minneapolis puis pour une amélioration des conditions économiques chez les Indiens, ce qui l'a amené à s'intéresser de près aux réserves. Soutenu par la majorité des Indiens, l'AIM a pris part à des occupations de terres qui appartenaient légalement aux Indiens et à des marches de protestations, toujours dans le cadre de la légalité américaine.

En 1972, le Bureau des affaires indiennes à Washington est occupé par un groupe de l'AIM. Créé en 1982 par le gouvernement américain pour régler une bonne fois pour toutes « le problème indien », ce Bureau, de simple tuteur, est vite devenu geôlier. Un an après, un bâtiment officiel à Wounded Knee, dans le Dakota du Sud — lieu tristement célèbre par le massacre de milliers d'Indiens Sioux perpétré en 1890 par les troupes américaines —, est aussi occupé.

Dans cette réserve du fin fond de l'Arizona, les conditions de vie des Indiens, étaient, au début du XXᵉ siècle, totalement misérables.

Ainsi, au même titre que l'occupation de l'île d'Alcatraz, en 1969, où un groupe d'Indiens a tenu le siège pendant plus de deux mois face aux forces de police, les Indiens ont voulu montrer par des actions spectaculaires et non-violentes, non seulement qu'ils existaient, mais qu'ils revendiquaient clairement des changements dans leurs conditions d'existence.

Pour ces indiens, qui n'ont reçu la véritable citoyenneté américaine qu'en 1924, un pas énorme vers la reconnaissance de leur présence sur le sol américain était franchi. Les conséquences immédiates dans la vie des réserves ne se sont pas fait attendre. Toujours avec l'aide de l'AIM, ils ont créé des coopératives alimentaires et sanitaires, une assistance judiciaire et des *Survival schools*, écoles de survie : écoles spécifiques où les enfants ont pu apprendre leur propre langue et recevoir une meilleure éducation. (...)

Ressources énergétiques

« Nous essayons de tirer parti de la complexité du système institutionnel américain, afin de le retourner à notre avantage », poursuit Vina, juriste indien, responsable à l'AIM. Depuis plusieurs années maintenant, il plaide au coup par coup pour le respect des droits des Indiens, qu'il s'agisse de pêche, de chasse, de conservation des ressources naturelles ou de la restitution aux tribus spoliées de l'usage de leurs ressources énergétiques.

« Une grande partie des ressources naturelles de ce pays se trouve en terre indienne, 96 % de nos meilleures terres dans les réserves sont aux mains de non-Indiens et il ne nous reste que les 4 % les plus pauvres. » Beenayseequay ou « femme du tonnerre » a parlé. Indienne de la nation Anishnabe-Shipewa, 26 ans, elle est experte sur la question concernant les ressources

Vente d'objets folkloriques fabriqués par les Indiens d'une réserve.

naturelles, le nucléaire, l'énergie et l'environnement. (...)

« Les études officielles montrent que 30 % du pétrole, 20 % du gaz naturel et 90 % des ressources recensées en uranium se trouvent sur les réserves indiennes, explique-t-elle, mais les traités signés avec le pouvoir sont si ambigus que des concessions énormes ont été faites aux grandes compagnies. Plus que partout ailleurs elles font de larges bénéfices en exploitant sur les réserves. »

« Isolés du système, explique encore la "femme du tonnerre", et pour beaucoup illettrés, il faut expliquer aux Indiens leurs droits afin qu'ils ne se fassent plus prendre au piège de la juridiction. Mais nous ne sommes qu'une île sur un continent. Tout est à refaire... »

Les projets sont innombrables et les négociations avec le Congrès se poursuivent. Depuis si longtemps...

pour reconnaître un simple droit...
« Droit qui, aux Etats-Unis, souligne le journal *Akwesasne Notes* de la tribu Mohawk, ne peut être donné mais doit être conquis. »

Dorian Malovic,
la Croix, 15-16 décembre 1985

L'Amérique des Macadam Indians

Wounded-Knee n'est qu'un hameau flanqué d'un petit cimetière qui rappelle le massacre de civils perpétré ici par la cavalerie *US* il y a juste 95 ans, lors de la dernière révolte des Sioux. Au printemps de 1973, on y a encore frôlé la tragédie. Ces deux mois de face-à-face hargneux avec la police et l'armée ont très profondément marqué ceux qui y ont participé.

« J'étais à Wounded-Knee et c'est là que j'ai rencontré Dennis Banks pour la première fois, se souvient Harlan Skye. J'accompagnais Dog Skye, mon

Occupation du site de Wounded Knee par l'AIM en 1969.

père, et je n'avais alors que 14 ans. Je devais être le plus jeune type présent là-bas... Douze ans après, je pense encore tous les jours à ce que j'y ai vu. Je mourais de peur, à cause des coups de feu, des gardes, des soldats, des agents du FBI en civil et de leurs chiens. Ils avaient même envoyé des chars contre nous ! Mais ce n'est pas cela qui m'a le plus marqué, c'est la fraternité qu'il y avait entre nous, et les cérémonies de *medicine-men*. On avait un *sweat-lodge* où on pouvait se purifier et ça nous aidait beaucoup à tenir. »

Cette occupation fut d'un bout à l'autre une affaire de Sioux Oglalas. Ces gens avaient toujours été des guerriers. Poussés par leurs femmes (d'où le grand nombre de *squaws*, sur place, durant le siège), appuyés par leurs anciens et par l'AIM, les Sioux reprenaient à leur compte les vingt grandes revendications du *Trail* en les appliquant à leur cas particulier et en exhibant devant les agents du gouvernement le traité signé en 1868 avec la Nation Lakota.

En 1976, Banks remet ça. Cette fois, le détonateur, ce sont les cérémonies du bicentenaire des Etats-Unis ! Quoi de plus approprié qu'une

Marche des Indiens sur Washington en 1978.

course-relais à travers toute l'Union, avec arrivée triomphale à Washington, pour fêter dignement cet anniversaire funeste pour les Indiens ? Le périple dure neuf mois, et s'intitule précisément *The long Walk for survival* (la longue Marche pour la survie). Leur but — qui n'est qu'accessoirement de courir — est pleinement atteint : des Indiens de toutes les tribus se parlent, comparent leur condition et communient aux mêmes cérémonies. « Pendant tout cet été-là, au moins, les jeunes qui couraient n'ont pas traîné dans les bars », ajoute finement un observateur.

Pour célébrer le déroulement des Jeux Olympiques en Californie, Dennis a l'idée, durant l'été 1984, de refaire à l'envers le coup du *Long Walk* : on partira cette fois de la côte Est pour terminer à Los Angeles au milieu des touristes étrangers venus là pour les compétitions. Il s'agit de partir de la réserve Onondaga qui se trouve au nord de New York avec une équipe d'une vingtaine de coureurs qui se relaient tous les dix ou quinze kilomètres. Le choix de la réserve des Onondagas n'est évidemment pas gratuit : c'est là que se terre Dennis depuis des mois, il ne peut plus en sortir sans se faire cueillir par les limiers du FBI, une situation intenable qui l'amènera à se rendre quelques mois plus tard.

Jean-François Rouge,
Libération, 27 décembre 1985

Après quinze années d'une interminable procédure, les Oneidas retrouvent la propriété de 500 hectares au nord de l'État de New York. Un verdict qui constitue un précédent.

Tout au nord de l'état de New York, entre une ville appelée Syracuse et une autre du nom de Rome, se trouve un lopin de terre. Pas bien grand, cinq cents hectares tout au plus, il est bordé de quelques arbres souffreteux et occupé par de petites entreprises locales d'un intérêt économique limité. Et pourtant, c'est ce lopin de rien du tout qui va peut-être refaire l'histoire : après quinze années d'une interminable procédure judiciaire, la Cour suprême des Etats-Unis vient de reconnaître un droit de propriété sur ce terrain à la tribu locale des Oneidas.

C'est une première, et compte tenu des vastes étendues que possédaient les Indiens avant leur « rachat » par les

À Shawano (Wisconsin), le 4 février 1975, les Indiens rebelles quittent les locaux de la police et font le geste de la victoire.

colons du XVIIIᵉ siècle, on peut s'attendre à voir bien des tribunaux plancher sur de futures revendications. En la circonstance, l'enjeu était double. Symbolique d'abord : ces terres sont les nôtres, disent les Oneidas, il est normal que nous bénéficions d'une certaine reconnaissance. Mais elle est également politique dans la mesure où les Oneidas indiens sans « patrie » avaient également fini par perdre leur tribu, au sens « organisationnel » du terme.

C'est une longue et vieille histoire, qui remonte à la fin du XVIIIᵉ siècle. En 1975, alors que leur domaine s'est déjà rétréci de trois millions d'hectares à cinquante mille hectares, les Indiens se font offrir une somme ridicule de rachat par les Blancs. Ils acceptent leur proposition, mais elle est illégale. Deux ans avant l'acte d'échange avec les Indiens, une loi avait été votée stipulant

que toute transaction de ce type devait être approuvée par le gouvernement fédéral.

Privée de terre, la tribu des Oneidas va être fragmentée à partir du XIXᵉ siècle : un tiers est déporté sur le Wisconsin où le gouvernement leur octroie une réserve, un second tiers part volontairement dans l'Ontario, au Canada, et le troisième reste sur place, dans l'état de New York. En 1920, ce dernier groupe s'organise en une « nation des Indiens Oneidas » de New York. La nation est structurée sur le modèle des gouvernements occidentaux, et pleinement reconnue par le gouvernement fédéral américain. Jusqu'en 1975. Cette année-là, de graves dissensions coupent le restant de la tribu en deux : ceux qui sont pour une organisation du genre « démocratie occidentale » et les autres. La nation

Le 31 octobre 1980, à quelques jours des élections présidentielles, le républicain Ronald Reagan tente de rallier autour de sa candidature des voix indiennes.

Oneida de New York a donc cessé d'exister dans sa forme officielle, et c'est dans le but de lui redonner corps que les derniers éléments du comité exécutif de la nation se sont accrochés pendant toutes ces années aux poursuites qu'elles avaient engagées dès 1970 contre l'administration des comtés locaux.

Dans un premier temps, il a fallu aux Indiens prouver la légitimité de leur action, ce qui leur a bien pris près de cinq ans. Dans un second temps, il s'agissait de décrocher le titre de propriété et une indemnisation compensatoire. La Cour suprême a voté en faveur des deux exigences, mais avec tout de même une certaine modération. L'indemnisation s'élèvera tout au plus à 20 000 dollars (et devrait revenir à l'Urban Indian Center, organisation sociale établie sur les ruines de la nation Oneida), pas de quoi établir un empire, et le titre de propriété sur les quelque 500 hectares en question. Mais ce verdict constitue bien un précédent, et les Oneidas ont bon espoir de pouvoir récupérer dans un délai cette fois plus court, le reste des 50 000 hectares de terrains qu'ils réclament.

En fait, l'Association des affaires indiennes d'Amérique du Nord, basée à Manhattan, dément ces perspectives : « Nous n'avons aucune intention d'exproprier les industriels implantés sur ces terres, d'arracher les routes qui les traversent ou de détruire les équipements en place. Si les Oneidas se reconstituent un jour en organisation, ils auront bien besoin d'une économie compétitive. »

Philippe Romon,
Libération, 6 mars 1985

Les Indiens crèvent l'écran

Démon ou « noble sauvage », l'Indien est inséparable du pionnier et des grands espaces de l'épopée de l'Ouest, mythe cher au cinéma américain.

Sur 1700 westerns tournés, 200 mettent en scène les Indiens, nous avons donc fait un choix significatif d'œuvres avec le nom du metteur en scène et la date de sortie du film.

LES ANCÊTRES

Le Massacre, D.W. Griffith, 1912.
Caravanes vers l'ouest, James Creese, 1923.

LE SOUFFLE DE L'ÉPOPÉE

Les Tuniques rouges, Cecil B. de Mille, 1941.
La Charge fantastique, Raoul Wash, 1941.
Les Aventures du capitaine Wyatt, Raoul Walsh, 1951.
Commanches, George Sherman, 1956.
Le Jugement des flèches, Samuel Fuller, 1957.
Le Vent de la plaine, John Huston, 1959.

LES HOMMES DE LA FOURRURE

Au-delà du Missouri, William Wellman, 1951.

La Captive aux yeux clairs, Howard Hawks, 1952.
Le Géant du Grand Nord, Gordon Douglas, 1959.
Jeremiah Johnson, Sydney Pollack, 1971.

UN NOUVEAU REGARD SUR L'INDIEN

La Flèche brisée, Delmer Daves, 1950.
Bronco Apache, Robert Aldrich, 1954.
Les Cheyennes, John Ford, 1964.
Little Big Man, Arthur Penn. 1968.
Willie Boy, Abraham Polanski, 1969.
Un homme nommé cheval, Eliot Silverstein, 1969.

LES DERNIERS FILMS

Pale Rider, Clint Eastwood, 1985.
Silverado, Lawrence Kasdan, 1985.

Un homme nommé cheval.

Le vent de la plaine.

Little Big Man.

Jeremiah Johnson.

Les tuniques écarlates.

Le jugement des flèches.

Bibliographie

<u>OUVRAGES
GÉNÉRAUX</u>

Claude Fohlen,
*les Indiens d'Amérique du
Nord.*
Que sais-je ? Paris,
1985.
Philippe Jacquin,
*Histoire des Indiens
d'Amérique du Nord,*
Payot, 1976.
Elise Marienstras, *la
Résistance indienne aux
Etats-Unis,* Gallimard,
1980.

<u>LES INDIENS AU
XIXe SIÈCLE</u>

S.M. Barret,
Mémoires de Geronimo,
Maspero, 1972.
N. Cochise et K.
Griffith,
Nino Cochise, Seuil,
1973.
Dee Brown,
*Enterre mon cœur à
Wounded Knee,*
Stock, 1973.
Nelcya Delanoë,
l'Entaille rouge,
Maspero, 1982.
Helen H. Jackson,
Un siècle de déshonneur,
UGE, 1972.
TC Mac Luhan,
*Pieds nus sur la terre
sacrée,*
(recueil de textes),
Denoël, 1971.

<u>LES INDIENS AU
XXe SIÈCLE</u>

Vine Deloria,
Peaux-Rouge,
Edition Spéciale, 1969.
Jean-François
Graugnard, Edith
Patrouilleaux et
Sébastien Eiamo Araa,
*Nations indiennes, Nations
souveraines,*
Maspero, 1977.
Joëlle Rostkowski,

*le renouveau indien aux
Etats-Unis,*
L'Harmattan, 1986.

<u>RELATIONS DE
VOYAGE</u>

J.B. Bossu,
*Nouveaux voyages en
Louisiane,*
éditeur Ph. Jacquin,
Aubier, 1980.
John Long,
*Trafiquant et interprète de
langue indienne,*
A. M. Métaillé.
Joseph-François Lafitau,
*Mœurs des sauvages
américains,*
un classique de la
littérature du XVIIIe,
2 t., réédition, La
Découverte, 1983.

<u>RÉCITS DE
CAPTIVITÉ</u>

*Récit de la vie de Mrs
Jemison enlevée par les
Indiens,* Aubier, 1978.
*Trente ans de captivité
chez les Ojibwa,* éditeur
Pierrette Désy, Payot,
1976.

<u>ETUDES SUR LE
CINÉMA ET LA
BANDE DESSINÉE</u>

Paul Herman,
*Epopée et mythes du
western dans la BD,*
Jacques Glénat, 1982.
Jean-Louis Leutrat,
le Cercle brisé
l'image de l'indien dans
le western, Payot, 1977.

<u>L'INDIEN DANS LA
LITTÉRATURE</u>

Leslie Fiedler
Le retour du Peau-Rouge,
Seuil,, 1971.
Ruth Bebe Hill,
Hanta Yo,
Julliard, 1981.
Thomas Sanchez,
Rabbit Boss,
roman, Seuil, 1978.
l'Os à vœux
(poèmes narratifs des
Indiens Cree présentés
par Howard A.
Norman, Presse
d'Aujourd'hui, 1982.

1540/1542 Premières explorations de Coronado dans la région des Pueblos.

1584 Colonie de Sir Walter Raleigh à Roanoke.

1607 Débarquement de 105 colons anglais à Jamestown.

1620 Débarquement des Pélerins du *Mayflower* à Plymouth.

1622 Attaque des colons de Virginie par Oppechankanough.

1636/1637 Guerre des Pequots au Connecticut.

1644 Deuxième attaque powhatan en Virginie.

1675/1676 Guerre du Roi Philip en Nouvelle-Angleterre.

1680 Révolte des Pueblos dans le Sud-Ouest.

1682 Traité de William Penn avec les Delawares.

1711/1712 Guerre des Tuscaroras en Caroline du Nord. Les Tuscaroras entrent dans la Ligue des Iroquois.

1715/1716 Guerre Yamasee en Caroline du Sud et en Géorgie.

1754 Conférence d'Albany entre les Iroquois et les colons.

1754/1763 Guerre de Sept Ans.

1763 « Révolte de Pontiac ». Proclamation royale sur la frontière des Appalaches.

1774 Guerre de lord Dunmore.

1775/1783 Guerre d'indépendance américaine.

1778 Premier traité signé avec les Etats-Unis et les Delawares.

1787 Le Congrès continental signe

l'Ordonnance du Nord-Ouest. Rédaction de la Constitution des Etats-Unis.

1790/1791 Les armées de Josiah Harmar et d'Arthur St Clair sont défaites dans l'Ohio par les tribus confédérées.

1794 Bataille de Fallen Timbers : défaite des tribus du Nord-Ouest.

1795 Traité de Greenville, signé par douze tribus. Une frontière permanente est établie dans le territoire du Nord-Ouest.

1803 Traité de Vincennes : le territoire indien du Nord-Ouest est réduit.

1803 Jefferson achète la Louisiane à Napoléon.

1804/1806 Expédition de Lewis et Clarke vers le Pacifique.

1811 Bataille de Tippecanoe.

1812/1814 Guerre entre l'Angleterre et les Etats-Unis. Mort de Tecumseh à la bataille de la Thames.

1814 Expédition d'Andrew Jackson avec la milice d'Alabama contre les Creeks.

1816/1818 Première guerre seminole.

1819 Traité Adams-Onis : l'Espagne cède la Floride aux Etats-Unis.

1824 Création du bureau des Affaires indiennes au département de la Guerre.

1827 Adoption de la Constitution cherokee.

1830 Le Congrès adopte l'*Indian Removal Bill,* proposé par le président Jackson.

1832 Worcester v. Georgia à la Cour suprême. John Marshall énonce la doctrine des *« dependent domestic nations »*.

1835 Traité de New Echota : les Cherokees cèdent toutes leurs terres en Géorgie et doivent s'exiler.

1835/1842 Deuxième guerre seminole.

1838 La « Piste des Larmes » des Cherokees : déportation en Oklahoma.

1842 Ouverture de la piste de l'Oregon.

1845 Les Etats-Unis annexent le Texas.

1848 Traité de Guadalupe Hidalgo entre le Mexique et les Etats-Unis. Acquisition par les Etats-Unis du Sud-Ouest du continent.

1849 Le bureau des Affaires indiennes est transféré au département de l'Intérieur.

1851 Premier traité de Laramie avec les tribus des plaines et des montagnes.

1855 Traités avec les tribus des territoires de l'Oregon et du Washington.

1860-1875 Extermination des bisons.

1862 Guerre des Sioux santees dans le Minnesota.

1862/1872 Guérillas apaches dans le Sud-Ouest.

1864 Massacre des Cheyennes à Sand Creek.

1868 Le régiment de Custer massacre les Cheyennes de Black Kettle.

1869 Ely Parker (Seneca), premier Indien nommé commissaire du B.A.I.

1871 Le Congrès abandonne la politique des traités avec les tribus indiennes.

1872/1873 Guerre des Modocs dans l'Oregon.

1876 Little Big Horn : défaite et mort du général Custer dans la bataille avec les Sioux tetons et les Cheyennes.

1877 Guerre des Nez-Percés dans l'Idaho et le Montana. Reddition de Chief Joseph.

1879 Guerre des Utes.
Création de l'école de Carlisle en Pennsylvanie.

1882 Fondation de l'Indian Rights Association.

1886 Reddition de Geronimo.

1887 Dawes Act : loi de lotissement des réserves.

1890 15 décembre : meurtre de Sitting Bull à Standing Rock.
29 décembre : massacre de Wounded Knee.

1911 Fondation de l'American Indian Association (Society of American Indians).

1924 Indian Citizenship Act : citoyenneté des Indiens.

1928 Publication du rapport Meriam : *The Problem of Indian Administration.*

1934 Wheeler-Hower Act : loi de « réorganisation indienne ».

1944 Fondation du National Congress of American Indians.

1946 Création de la Commission pour les revendications indiennes par le Congrès.

1949 Programme de « relogement » des Indiens.

1953/1954 Premiers décrets de *termination.*

1958 *Termination* des Klamaths de l'Oregon.

1960 *Termination* des Menominees.

1961 Conférence des Indiens américains à Chicago.

1964 Début de la lutte pour les droits de pêche dans l'Etat de Washington.

1968 Fondation de l'American Indian Movement.

1969 Les Passamaquoddys barrent la route à Princeton dans le Maine.
Occupation d'Alcatraz par les Indians of All Tribes.

1970 Sit-ins indiens dans plusieurs bureaux du B.A.I.

1971 Alaska Native Claims Act : les Eskimos et les Aleuts dédommagés.

1972 Marche de Gordon, au Nebraska, pour protester contre le meurtre de Raymond Little Thunder.
Trail of the Broken Treaties : occupation de l'immeuble du B.A.I. à Washington.

1973 février-mai : occupation de Wounded Knee, au Dakota du Sud.

1975 Abrogation de la loi de *termination* des Menominees.

1976 Project Independence : programme de développement des ressources énergétiques aux Etats-Unis.
Deuxième Conférence Internationale des Traités Indiens. Création de l'International Indian Treaty Concil.

1977/1978 Dépôts de projets de loi par les sénateurs Kennedy, Meeds, Cunningham..., visant à abroger les traités et à supprimer le statut spécial des tribus et nations indiennes.
Février-juillet 1978 : la plus Longue Marche, contre l'abrogation des traités indiens.

1981 15-18 septembre : conférence des organisations non gouvernementales (ONTI) à New York. Des groupes autochtones du monde entier viennent défendre leur droit de vivre librement sur leurs territoires.

1982 25 janvier : la Cour suprême approuve l'impôt prélevé par les Apaches du Nouveau-Mexique sur une grande compagnie pétrolière installée sur leur réserve.

1982 avril : réédition de l'ouvrage de Félix Cohen, publié d'abord en 1942, sur les fondements de la doctrine du droit indien *Handbook of Federal Indian Laws.*

1983 janvier : le Président Reagan demande au Congrès d'abolir la politique de *termination*, il reconnaît la diversité des tribus et le droit de chacune d'elles à se déterminer.

1984 février : premier colloque au séminaire théologique de Princeton en vue d'encourager le développement des études du droit indien.

1985 mars : la Cour suprême se prononce en faveur des Oneidas dont les terres avaient été acquises par deux comités de l'Etat de New York sous l'approbation fédérale.

1985 avril : la Cour suprême confirme la légalité de l'impôt indien qui depuis 1978 pèse sur les revenus d'une société minière du territoire navajo.

A

Abenakis 42, 75, *86*, 133.
Acadie 19.
Acosta, José de *14*.
Alabama 85.
Algonquins 20, 35, 38, 39, 42, *48*, 62, *86*, 132.
Allemands 74.
Amenecis 133.
American Indian Movement *120*, 127, 172-173, 176.
Amherst, général 76.
Anglais 15, 21, 23, *25*, *27*, 34, 36, 37, 38, 48, 60, *61*, 62, 73, 74, 75, 76, *78*, *81*, 85.
Apaches 90, 100, 101, 159.
Appalaches, *29*, 76.
Arapahos 92, 95, 110.
Assiniboins *51*, 87.

B

Banks, Dennis *120*, 175.
Basques 15.
Béothuks 18, *86*.
Bison **92-94** ; chasse au **154-155**.
Black Elk 142.
Blackfeet *87*, 95, 143.
Blue Jacket 80, *81*.
Boone, Daniel *76*, 77.
Bossu Jean-Bernard 130-131.

Bouquet, Henry 76, *77*.
Bozeman, piste *90*, 110.
Bradford, William 36.
Brebeuf, Jean de *62*.
Brown, Orlando 94.
Bry, Théodore de *25*, *27*.
Buffalo Bill *89*, 92, 123, *124*.
Buntline, Ned *124*.
Bureau des Affaires indiennes 166, 173.
Burgoyne, John 74.
Burnett, Robert 126.
Bushy Run, victoire de *77*.

C

Cabot, Jean 15.
Cadieux, Lorenzo **136-137**.
Canada *46*, *49*, 138.
Cardinal, Harrold *127*.
Carignan - Salières, régiment de 48.
Carquois 164-165.
Cartier, Jacques 15, *17*, 19, *19*, 20, *29*, 48.
Catawbas 116.
Catlin, Georges **1-9**, *51*, *162*.
Cayugas 39.
Chaman, le 70.
Champlain, Samuel de *17*, 20, *45*, *48*, 52, 60.
Charlevoix *33*.
Cherokees 74, *78*, 85, *86*, 100.

Chesapeake, baie de 20.
Cheyennes *84*, *90*, 95, 101, 110, *110*, 111.
Chickasaws *86*.
Chief Joseph **151**.
Chinooks 90.
Chipewyans 87.
Chippewas 80, *120*.
Chivington, colonel 101.
Choctaws 74, 78, 85, *86*.
Cinéma **180-183**.
Cochise 101, 159.
Cod, cap *31*.
Cody, William Fredrick *voir* Buffalo Bill.
Collier, John 125.
Comanches *75*, *87*, 90.
Conde de Aranda 80.
Coronado, Francis *29*.
Coureurs de bois *65*, *67*, 73, 75, 130.
Crazy Horse 110, 111, 112, 113, *113*, 145.
Creeks 74, 78, 85, *86*, 87.
Crockett, Davy *76*, 77.
Crook, général 101, 112.
Crows *55*.
Custer, Georges 111, *113*, *115*, *119*.

D

Danse du soleil **144-145**.

Dawes, Henry 122 ; Act 122, 125.
Delawares *61*, 80, *81*, *86*.
Deloria, Vine 126.
Dodge, Grenville 110.

E

Ecole de survie 174.
Ecossais 74.
Eliot, John 62.
Epidémies 18-19, 71, 76.
Eriés 43, 48.
Eriksson, Leifr 15.
Espagnols 18, *29*.
Evans, James *85*.

F

Fallen Timbers, bataille de 80, *81*.
Fernandez, Juan 15.
Flèches 162-165.
Floride *25*, 59, 85.
Fort Pritt 133.
Fort Sill 147, 156.
Fort Wayne, traité de 146.
Fox 74, *87*.
Français 19, 20, 21, 23, *25*, *27*, 38, 39, 42, *45*, 46, 47, 48, *62*, 73, 74, 75.
French and Indian War *voir* Guerre de Sept Ans.

CRÉDITS PHOTOGRAPHIQUES

Anschutz Collection, U.S.A., 72. American Museum of Natural History, New York, 6, 102-103, 104-105, 106-107, 108-109. Archiv für Kunst und Geschichte, Berlin, 79. Bettmann Archives, New York, 148d, 167. Bibl. nat., Paris, 46b, 154. Charmet, Paris, 13, 42bg, 42bd, 43bg, 43bd, 59b, 63, 132, 134. Christophe L., Paris, 180d, 180g, 182h, 182b. Corcoran Gallery of Art, Washington, Couv. 1ᵉʳ plat. Dagli Orti, Paris, 44-45. Droits réservés, Couv. dos, Couv. 4ᵉ plat h, Couv. 4ᵉ plat b, 14, 15, 18, 19d, 37, 38h, 38b, 60, 61, 62, 70-71, 7 , 76, 77b, 77bg, 77bd, 78g, 78d, 80-81, 84h, 84b, 85, 88, 100, 111b, 116-117, 125, 148g, 149hd, 149bg, 149bd, 149hg, 150, 151, 162, 164, 181. Edimages, Paris, 146, 181b, 181h. Edimédia, Paris, 16-17, 51, 54h, 110. E.T. Archives, Londres, 30-31, 36. Explorer Archives, Paris, 20-21, 39, 47, 49, 115d. Gallimard, Paris, 120, 121, 175, 178, 179. Giraudon, Paris, 5, 7, 18-19, 22, 23, 24-25, 26-27, 28-29, 33. Lauros-Giraudon, Paris, 56-57. Magnum, Paris, 172. Magnum/Burk, Paris, 173. Magnum/Cartier Bresson, Paris, 174. Mary Evans/Explorer, Paris, 34h, 34b, 35h, 35b, 130, 153, 183. Ministère des affaires extérieures du Canada, 32, 82-83, 137, 138b, 138h, 139b, 139hd, 139hg, 140, 141h, 141b, 142, 144. Musée des Beaux-Arts, Dijon, 12. Musée franco-américain, Blérancourt, 170-171. Musée de l'Homme, Paris, 59h. Musée du Nouveau Monde, La Rochelle, 11, 52-53, 136. Musée du Québec, Québec, 40-41. Peter Newark's Western America, Londres, 31, 90, 91, 92h, 92-93, 94, 96-97, 98-99, 101, 111, 114-115, 118h, 118b, 119, 124, 128, 129, 152, 156, 158. Ph. Graugnard, Paris, 176. P.P.P., Paris, 1, 2, 3, 4, 8, 9, 50, 54-55, 58, 74-75, 75, 95. Smithsonian Institution, Washington, 161. Tapabor, Paris, 20, 52-53, 64-65, 66-67, 68-69, 89, 166, 168. Viollet, Paris, 48, 73, 122-123, 123b, 169.

REMERCIEMENTS

Nous remercions les personnes et les organismes suivants pour l'aide qu'ils nous ont apportée dans la réalisation de ce livre : Pete Fenlon, Jean-François Graugnard, photographe, Laurence Harley, scénariste, Photothèque de l'ambassade du Canada à Paris, Studio J.M., Jean-Patrick Razon, rédacteur en chef de la revue *Ethnies*.

Table des matières